映画論叢㊼

国書刊行会

映画論叢53 もくじ

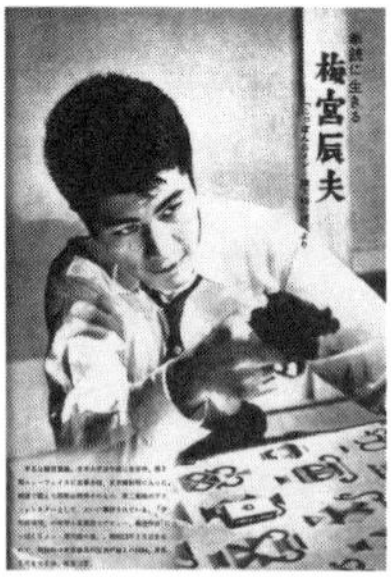

昭和35年、デビュー当時の梅宮辰夫

ピーター・フォークのデッサン

『三人姉妹』撮影中スナップ。生駒千里監督、九条映子と三上真一郎

表紙写真：『ＯＫ牧場の決斗』オープンセット

扉写真：（上）『荒野の七人』パンフレット
（下）『乾いた湖』。三上真一郎と炎加世子

銃の重さを感じさせる
今宵、ジョン・スタージェスを語ろうよ

猪股徳樹

最初の話題　スタージェスには前《まえ》がある

〈前《まえ》とは　ストーリィの前段の事で、警察用語の前科《まえ》ではない〉

西部劇の仕事人と呼ばれたジョン・スタージェスの作品は、映画の冒頭に「何者かがやって来る」シーンで始まる。そして観る方は何処から来たのか、何処へ行くのかと想像をかき立てられ、ワクワクしてスタージェスの術に喜んでハマる。例を挙げよう。

『ブラボー砦の脱出』主人公ロウパー大尉が脱走兵をロープで引きずって帰って来る。『日本人の勲章』主人公を乗せた列車が砂漠地帯を驀進する。『六番目の男』荒野を女が一人馬でやって来る。『OK牧場の決斗』3人のガンマンがホリデイを討つためやって来る。『ゴーストタウンの決斗』主人公ジェイクが早朝、隣の町からやって来る。一般的に〈誰かがやって来る〉で始まる映画は多いが、スタージェスの場合は必須となっているので、さらに挙げてみよう。『ガンヒルの決斗』保安官の妻キャサリンが馬車でやって来る。『荒野の七人』馬賊の軍団が村にやって来る。『墓石と決闘』決闘のためクラントン一族が町にやって来る。『シノーラ』メキシコの盗賊たちが町にやって来る。最後の西部劇『さらばバ

ジョン・スタージェス

『ゴーストタウンの決斗』プログラム（リバイバル公開版。「〜決闘」と表記）

ルデス』謎の孤児が馬でやって来る。

次に、はるばるやって来た理由が説明されるものだが、スタージェスは簡単には説明しないので、ストーリィの運びは弥《いや》が上でもミステリーを帯びる。やがて主役たちのセリフから何やら前段があって今に繋がっている事が解って来る。

『日本人の勲章』を例にあげよう。アリゾナの砂漠の小さな町に片手の男がやってくる。町のボスや子分たちは、自分たちの秘密を探られないかと、あらゆる妨害をするが、片手の男はある真相を知り、ボスを倒し翌日には町を去る。ただこれだけの話だが、何の目的でこの町にやって来たのかが、セリフの中から徐々に解って来る。

片手の男ジョン・マクレディは戦時中イタリア戦線で日系の兵士に命を救われ、その兵士は戦死してしまう。軍はその日系兵に勲章を授与する。戦後、マクレディは日系兵の父親に勲章を渡すためアリゾナの小さな町を訪れる。父親、日本人の駒古はこの地に入植したが、日米は開戦となってしまった。この町のボスは日本人を恨み、子分たちをそそのかして、駒古を殺してしまったのだ。これが前段で、マクレディがこの町にやって来た冒頭へと物語は繋がる。この前段だけで映画が2本は作れそうな、おいしいストーリィだ。これがスタージェス映画の特徴である。原題は〈Bad Day at Black Rock（ブラックロックの厄日）〉で、日本人はどこにも登場しない。

さらに続けたい。

『ブラボー砦の脱出』を例に。南北戦争の最中、戦地から遠く離れたアリゾナ準州では、東部の奴隷問題よりインディアンから家族を守る事が先決だった。男手を戦争に送りだす状況ではなかった代わりに、騎兵隊駐屯の砦では南軍の捕虜の収容を受け入れた。限りなく続く砂漠と、そこの主メスカレロ族の土地を逃げ切れる者は誰もいないので、石の壁や鉄格子は無く、多くの南軍捕虜が砦の広場に収監された。それでも脱走を試みる者がいればロウパー大尉の非情な追跡で連れ戻された。本編はここから始まる。

『六番目の男』を例に。5人の金鉱探しが金を掘り当てて6万ドルを手に入れるが、アパッチに襲われて全員殺される。主人公のジム・スレーターは5人の中に父がいた事を知り、墓を調べて廻る。4人まで身元が判るが父は入っていない。調べるうちに6番目の男がいて、仲間を見捨て金を奪って逃げた事が判る。ここまでがセリフから理解できる前段だ。ジムはその男が父ではないかと追い詰める。これは完全なミステリー西部劇だ。ガンマンの対決があり、インディアン戦があり、女の正体は解らない。若きリチャード・ウィドマークが格好良くて見惚れている間に、ストーリーは目まぐるしく展開する。

『ゴーストタウンの決斗』を例に。保安官のジェーク・ウェードは一晩かけて隣町に行き、早朝、保安官事務所を襲い、死刑囚クリントを救い出す。ここまでが冒頭のシークエンス。そしてジェークとクリントの会話から保安官ジェークは元銀行強盗で、クリントと暴れまわっていた事が解る。ある銃撃戦でジェークは子供を撃ってしまって、この稼業が嫌になり、仲間から抜けて奪った金をある所に埋めてひっそりと保安官になった。クリントは命を助けてもらったが、ジェークの裏切りは許せない。ここまでで映画が一本出来そうだ。スタージェスの演出は冴えわたる。

『OK牧場の決斗』を例に。ワイアット・アープとコットン・ウィルソンは、鉄道建設時代には銃の腕で暴れまわり、その後どちらも保安官になり、それぞれ修羅場をくぐって来た。時は流れた。アープは兄弟4人で法の番人を続け、牛泥棒クラントンを追い詰めていたが、ウィルソンは生活苦からクラントンの飼い犬に成り下がっていた。ここから本編が始まり、二人は対面するが、生き方の違いでこれまでのリスペクトが決裂する。

『ガンヒルの決斗』を例に。オクラホマ州の平和な町ポニーは開拓期には銃撃事件が多く、この町のマット保安官は町の治安に命をかけ、多くの伝説が今も語られていた。町は近代化を遂げ、原題は「ガンヒルからの最終列車」で、ポニー市とガンヒル市を1日に何本も往復している路線の最終列車のようだ。マットと子供たちの会話でも、「ここ10年間、銃は一度も抜いていない」と言っていた。この20世紀の平和な時代に、あってはならない事件が起きてしまう事で物語は始まる。

『荒野の七人』を例に。『七人の侍』は戦国乱世がひとまず終り、敗者の側の侍達は浪人となって町に溢れる。本作品は荒々しい西部開拓期が終わり、ガンマン稼業では食べていけなくなった時代の話。この手の西部劇はわんさとあるが、本作品では7人の決定的なベースになっている。ヴィンは銃を手放して雑貨屋の店員になろうとしている。メキシコの百姓を馬賊から6週間守り通して報酬はたったの20ドルである。この男たちの前段は説明されていないが、おそらく南北戦争で戦い、戦後はガンマン稼業でここまで生き延びてきた男たちであろう。ほぼ全員ただ今失業中で、百姓救済に参加するが、決して20ドルのためではない事がこの映画を面白くしている。

クリスは南北戦争では将校だったと思われる。自分の隊を引き連れて、もう一度戦線に身を投じたいという純粋動機で仲間を集める。相手が馬賊であれ昔の様に自分の組織で一戦を交える事は、何物にも代えられない喜びを覚えるのだ。勘兵衛（志村喬）も同じ動機だった。自分の戦闘スキルをこのまま終わらせたくはない。百姓の話を聞いているうちに、気が付いたら馬賊撃退の攻略を組み立て始めていた。ヴィン、チコ、オライリー、ブリットはクリスのそんな人柄に惚れて仲間に入った。追われる身のリーは逃げ場を求めて、一攫千金を追うハリーは何やら誤解をしての参加。

『ガンヒルの決斗』プログラム

『さらばバルデス』を例に。主人公のチノは一人で野生馬の調教牧場を経営している。チノはインディアンとの混血で、町では嫌われ者だ。孤独な人生は混血のせいかの説明はないが、たぶんそうだろう。ここに至るまでいろいろあったのだろうが、それを説明する前段はない。惚れた女との仲も割かれ、自宅に火を放ち、この地を去って行く。流れ流れてまたどこかで小さな牧場を営むのか。そんな繰り返しの人生を暗示させて、スタージェスは最後の西部劇を、前段は想像にゆだねる作り方にしている。

2つ目の話題　スタージェスは二度ベルを鳴らす

西部劇の仕事人と呼ばれたジョン・スタージェスは同じ俳優を2度使う方程式で映画を作っている。1度限りは少ないし、3度登場したのはスペンサー・トレイシー、スティーヴ・マックィーン、チャールズ・ブロンソン、ロバート・J・ウィルクしかいない。二度ベルを鳴らされたスター達の例を挙げよう。

ジョン・アイアランド　『OK牧場の決斗』『ウォーキングヒルズの黄金伝説』未輸入

バート・ランカスター　『OK牧場の決斗』『ビッグトレイル』

カーク・ダグラス　『OK牧場の決斗』『ガンヒルの決斗』

リチャード・ウィドマーク　『六番目の男』『ゴーストタウンの決斗』

アン・フランシス　『日本人の勲章』『サタンバグ』

ロバート・ライアン　『日本人の勲章』『墓石と決闘』

フランク・シナトラ　『戦雲』『荒野の三軍曹』

ジェームス・ガーナー　『大脱走』『墓石と決闘』

ロバート・デュバル　『シノーラ』『鷲は舞い降りた』

アーネスト・ボーグナイン　『日本人の勲章』『北極の基地』

アール・ホリマン　『OK牧場の決斗』『ガンヒルの決斗』

ジェームズ・コバーン　『荒野の七人』『大脱走』

ロバート・テイラー　『Saddle The Wind』未輸入『ゴーストタウンの決斗』

3度組は、

スティーブ・マックィーン　『戦雲』『荒野の七人』『大脱走』

スペンサー・トレイシー　『闇夜に響く銃声』未輸入、『老人と海』『日本人の勲章』
チャールズ・ブロンソン　『大脱走』『荒野の七人』『さらばバルデス』

2度お呼びがかかる事は、一家と呼ばれるほどの絆でもないが、一期一会の関係でもない。スタージェスにとっては丁度良い関係なのだろうか。群れない男とも言える。ほとんどの作家は一家なんぞ構えないが、2度使いにこだわるのがとても面白い。

私は悪役系の脇役が好きなので、こちらも調べて見た。まず2度呼ばれた組。

ウィリアム・キャンベル　『ブラボー砦の脱出』南軍の捕虜で射撃の名手／『六番目の男』二丁拳銃のチンピラ
デ・フォレスト・ケリー　『OK牧場の決斗』モーガン・アープ／『ゴーストタウンの決斗』一味の一人
ブラッド・デクスター　『ガンヒルの決斗』カウボーイ頭／『荒野の七人』七人の一人で、最初に撃たれた男
ビング・ラッセル　『ガンヒルの決斗』バーテンダー／『荒野の七人』冒頭、葬儀をガンマンに依頼する男
ヘンリー・シルバ　『ゴーストタウンの決斗』一味の一人。変質者／『荒野の三軍曹』インディアンの戦闘員
ブライアン・ハットン　『OK牧場の決斗』ドクを仕留めに来た3人の一人／『ガンヒルの決斗』リックのダチ
フレッド・グラハム　『ブラボー砦の脱出』ジョーンズ軍曹／『六番目の男』カーソン牧場のカウボーイ頭

脇役の3度組は、
ロバート・J・ウィルク　『六番目の男』ヴェルカー兄弟の一人／『荒野の七人』拳銃対ナイフの決闘で負けた男／『ビッグトレイル』インディアンの酋長

傍役たちも、しっかりとスタージェス方程式に当てはめている。これはジョン・フォード一家を探すぐらいに楽しい。

一回限りで2度目のベルは鳴らなかったスターは、ウィリアム・ホールデン。アンソニー・クィン。ユル・ブリナー。ロック・ハドソン。グレゴリー・ペック。クリ

ント・イーストウッド。ジョン・ウェイン等々。おそらく超高額なギャラやスケジュールの調整に問題もあるのだろうし、監督から見てスターのキャラクターがジャストフィットしなかったのかも知れない。

3つ目の話題　スタージェスの銃撃戦は3D

3Dとは3次元立体の事。スタージェス映画は、敵と味方が対峙する位置関係を明確に説明している作品がいくつかある。これはオープンセットを作る際、カメラに収まる面だけ作って景色を貼るのではなく、現場を丸ごと克明に作って、その中で出演者を演技させるのだ。建物の横の路地でも、裏でもどこへでも視点を置ける。私はその事を3Dと呼んだ。貼った景色は平面で2Dだから。異論も多いだろうから、私見で書き並べる事は差し控えたいが、若干例を挙げると、

『OK牧場の決斗』のOKコラルをそっくり作ったオープンセット。クラントン側はコラルの幌馬車に身を伏せ、アープ側はくぼ地に伏せて応戦する。お互いの位置関係が何とも明快。このコラルはウェルズファーゴ社の駅馬車の中継所。そのため替え馬を休ませる設備が裏手にあって、小道具など手を抜かない。ビリーが逃げ込んだ写真館の小道具も丁寧な描写だった。

『ゴーストタウンの決斗』のゴーストタウンと墓地。わずか数軒廃屋があるだけだが、張りぼてではなく一軒一軒キチンと作って、インディアンの襲撃と、ラストの決闘に2度使っている。コマンチは裏から、2階からと攻めてきて、道を挟んだ給水タンクからも矢が飛んで来る。高い所から狙うには最高の場所だ。翌朝の決闘ではあっちから裏へ、そしてこっちの表へと隠れんぼが始まる。つまりカメラも隠れんぼに参加できると言う事。そう言えばスタージェスの西部劇には必ず給水タンクが出てくる。風車で揚水するタイプなど。

『ブラボー砦の脱出』の山側とくぼ地の関係。くぼ地に伏せると山側からは見えない様で、ロウパー大尉はその優位性を無駄にしない。まるでくぼ地が隠れた主役のようで、スタージェスはとても楽しそうに演出している。もっともスタージェスにはあまりコストがかかったセットはない。そこはスタージェスの仕事人の技なのだろう。物事を3Dで考えれば、弓から放たれる矢の描写も、射た人と、矢の飛翔と、射られた人を一つの写真に収めて映画をこの上なく面白くできる。

『日本人の勲章』の小さな町。実際に列車が通るレールと駅があって、町にはホテルや商店とガソリンスタンドなどで、町をそっくり作り上げている。

黒澤明は「野武士に襲われる集落」「馬目の宿」「小石川養生所」など、ここまでやるかと思う巨費を投じたオープンセットを作ったが、これは映画観が違う別の世界の話。このくぼ地は無料なのだ。

スタージェスファンは今宵も語る。「ワイアットが建物の裏から幌馬車の斜め後ろのレンガの建物の裏に回っただろう」「そこからショットガンでマクロゥリー兄弟を倒したよね」

「その建物のこっちへ廻って、飼馬桶の前でクラントンを倒しただろう」

若い頃からこの歳まで、こんな話をもう何度繰り返した事か。

最後の話題　スタージェスの銃に重さを感じる

世の多くの西部劇ファンは、ご自分なりに西部劇作家をマッピングさせているはずだ。

ジョン・フォード監督の西部劇から軍隊（騎兵隊）物を差し引いても『駅馬車』『荒野の決闘』『捜索者』で西部劇の神様の地位は揺るがない。以下に誰をポジションさせるかが、人によって分かれる。私見を百も承知で自分のマップを描き表すと、トップにジョン・フォード。トップ下にジョン・スタージェスとハワード・ホークス。もう一つ下の列にアンソニー・マンとヘンリー・ハサウェイとデルマー・デイビスだったり、アルドリッチだったり、あるときはド・トスだったり、G・ダグラスだったり、ウォルシュだったり、その日の気分でコロコロ変わる。我が愛すべき遊撃手たちを今日は誰と考えるのがこれまた楽しい。ベンチに控えるはペキンパーとドミトリクではないか。

不動の2番の座を守るスタージェスは、時にはアンソニー・マンと比較される。私的にはスタージェスが上の段でマンが下の段になっているが、この二人に優劣など付けられない。スタージェスが1910年生まれ、マンは1906年生まれで歳も近い。マンは1950年『ウィンチェスター銃73』で世に知られ、スタージェスは1953年に『ブラボー砦の脱出』でその名を知らしめた。それ以前に本邦未公開の作品がどちらにも沢山あるが、カウントから外す。以後スタージェスは約30本の作品のうち、西部劇を13本作り、マンは30本中10本作った。

映画監督とは一つのジャンルに固まらないように幅を広げるようだ。マンは史劇を3本、戦争物を3本、音楽ものを1本撮っている。スタージェスは、史劇は作らなかった代わりにSF物を2本、戦争物を4本撮っている。面白いのはスタージェスが1958年にヘミングウェイの『老人と海』に挑戦し、マンも同じ年にアースキン・

コールドウェルの『神々の小さな土地』を発表した。同じ年にである。こちらは『真昼の欲情』なる邦題で公開。ジョン・フォードもコールドウェルの『タバコ・ロード』を映画化している。余談だがマンは『スパルタカス』でカーク・ダグラスに解雇され、スタージェスは『栄光のル・マン』でマックィーンに解雇された経歴を持つ。

本稿でスタージェスとマンの比較論を掘るつもりはないが、私がスタージェスを好きな理由は、映画を見て思わず唸ってしまうカ所がいくつか点在する。観終わった私はヘロヘロになる。お金を払ってヘロヘロにされるのは嬉しい事だ。

『墓石と決闘』プログラム

一般論として数多くの西部劇は、銃を身につけたり、抜いたり撃ったりが、空気の様に当たり前の表現になっている。そんな時代なのだからそれで良いんだと。これはハリウッドのスタイルなのだと。私はスタージェスには違うものを感じてならない。腰に下げたピースメーカーにズッシリした重さを感じるのである。相手に銃を向ける事は、相手を制圧する事であり、相手の防御ラインを破る事である。相手に命乞いをさせ、人格をズタズタにする事も出来る。それだけに銃を抜く事には社会的道義的責任がうまれる。私はスタージェスの作品にはそんな銃の重さを感じてならない。

干し肉をよく噛んで、安いバーボンで胃袋に流し込み、スタージェスを語る。そして夜は更ける。安い焼酎とスルメも合うかもしれない。

（いのまた・とくじゅ）

（協力＝千葉豹一郎）

フヰルム温故知新㉛

『我等の生涯の最良の年』ワイラーのベストワン

布村建

オハイオ州の小都市に、たまたま同じ飛行機に乗り合わせた三人の復員兵が帰ってきた。彼等の戦後をあたたかい目で追った一九四六年十一月公開のW・ワイラー、ハリウッド復帰第一作である。戦勝国アメリカといえども軍需産業の縮小によって失業率は四五年一・九％から四六年三・九％へ、物価上昇率前年比一八％。復員兵の社会復帰も容易ではなかった頃です。

太平洋戦線で戦った元陸軍軍曹アル（フレドリック・マーチ）は勤めていた銀行に戻り、副頭取に昇進、経済的には恵まれたが上司との関係がうまくいかない。復員軍人への融資をめぐって頭取と対立、夫婦間にも微妙な亀裂が入る。B17の搭乗員として輝かしい戦績をもつ陸軍空軍大尉であったフレッド（ダナ・アンドリュース）はより良い待遇の仕事を探すのだが…。ジミー・ドゥーリトル（東京空襲指揮官）から送られた殊勲飛行十字章などの勲章は実社会では何の役にも立たないのだ。就職口が見つかる前に貯金を使い果たしてしまい、結局は妻をなだめるためにドラッグストアのソーダ・ジャーク（クリームソーダなどを作る）に復職します。最年少のホーマー（ハロルド・ラッセル）は空母の水兵。日本機の攻撃で両手先を失い義手をつけている。迎える婚約者は衝撃を受けるが、やがて彼を受け入れともに生きる決意をします。

しかし、ホーマーは障害に引け目を感じて両親を避け、恋人ウィルマ（キャシー・オドネル）が示す以前と変わらぬ愛情も哀れみと受け取り心を閉ざしてしまうが、アルやフレッドはホーマーを立ち直らすべく支えつづけます。

フレッドが働くドラッグストアをホーマーが訪ねると、たまたま隣にいた客は義手を見ながら「日本やナチスは共産主義を絶滅出来たのに――」と戦勝が無意味であったかのような暴言を放つ。憤慨したフレッドはその親ファシスト的な男を殴り倒し、エプロンを外す。失職。謝るホーマーにフレッドは、ウィルマにすぐにでも会って結婚を申し込めと逆に励ます。物語は三人三様の問題をふくみつつ、あたたかい交流を軸に展開します。

削除されていた日本公開版

日本公開は一九四八年。昔、NHKで見たような気もするのだが記憶は定かでありません。DVDで視聴して本作がヒロシマ、ナガサキの原爆とその放射能の問題について初めて言及した映画であることに気づきました。日本公開は一九四八年。戦勝国の復員兵の社会問題を主題とした作品をよくも公開したと思う。GHQの民政局通称GSにはニューディーラー左派がまだのこっていたのだろうか？　しかし、原爆問題は当然削除されたのでは？　と思ったが公開時に見た人は今や少ない。本誌20号に以前、森卓也氏がこの件について書かれたエッセイによれば、初公開時には削除されていたそうです。

太平洋の島嶼で戦ったと思われるアルは戦利品として持ち帰った軍刀と日の丸の寄せ書きを息子に見せるが、彼の関心

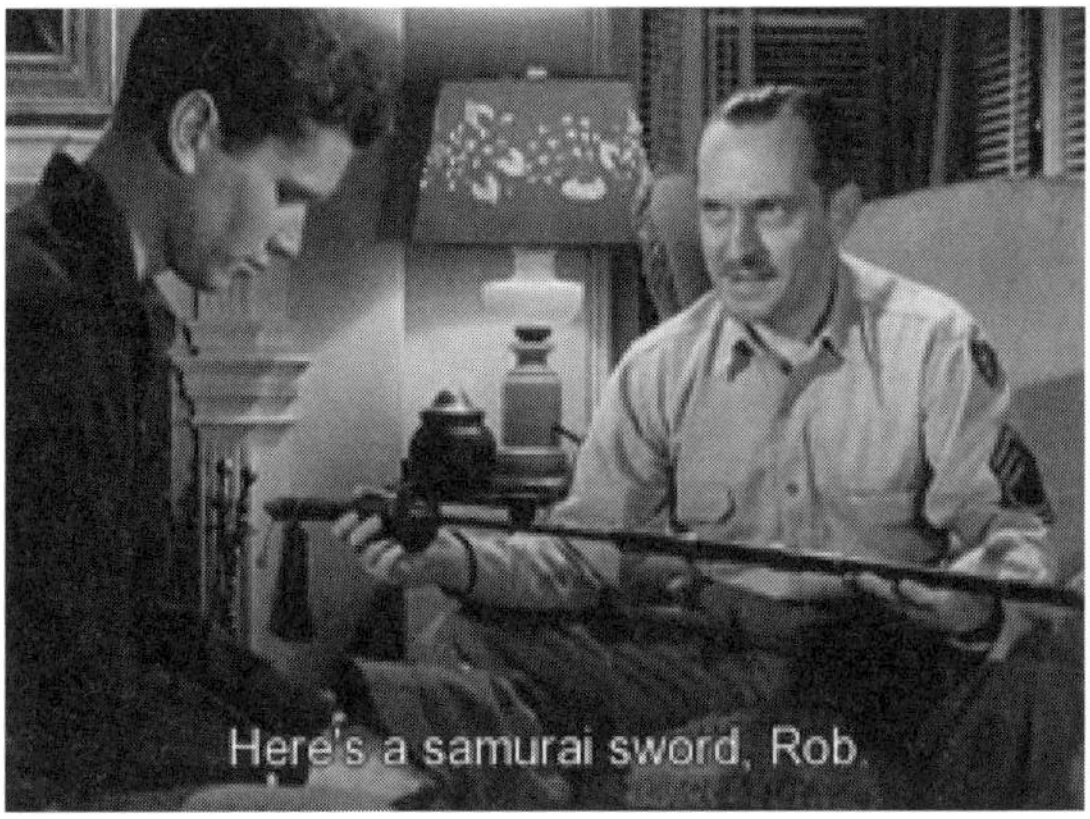
Here's a samurai sword, Rob.
息子に軍刀を渡すアル（フレドリック・マーチ）

は別な問題にあった。アルは日本兵をジャップと呼ぶが、息子はジャパニーズと訂正する。正確な台詞を確認するためにネットでスクリプト（完成後の台詞を採録したもの。外国語版製作に必要なため多くの作品のスクリプトは残っていて公開されている。日本では完成台本という形で保管されるが、公開公刊例は少ない）を開いてみました。以下引用。

アル、息子ロブに刀を差し出して、

「これがサムライの剣」

ロブ「すごいね」

日章旗を手に、

「日本兵が持っていた旗だ。親族から幸運を祈る文字が」「日本人は家族との絆を大切にするんだ」

この後、ロブは物理の教師から聞いた原爆の影響の話を父にする。

Did you noice any of the effect of radioactivity on the people who survived ?

（生き残った人たちの放射線障害について気付いた?）

アル「いや聞かなかった。知るべきであったかな?」

ロブ「マクレガン先生は〝全人類は共存の道をみいだすか、あるいは—という岐路に立っている〟と。先生は核搭載誘導ミサイルの出現までも預言したという」

一九四六年当時、日本人もアメリカ人も、まだ放射線の恐るべき影響、後遺症について知らされていなかった。原爆が五十万人のアメリカ兵の犠牲を阻止した、という妄説もまだ一般的ではなかった時代です。

結婚式シーンの感動

フレッドは妻から離婚を申し渡され、時に戦中の悪夢に悩まされる。そうしたフレッドを励ますのがアルの娘、ペギー（テレサ・ライト）であった。目的地を決めぬままに歩き回り、フレッドは「飛行機の墓場」つまり戦後廃棄処分された軍用機置き場、をさまよう。戦闘機や爆撃機。フレッドはB17を見つけコックピットに入り過去の激戦を思い出す。フレッドは作業員のボスに会う。解体された後にプレハブ建築の材料になると聞いたフレッドはここで働きたいと頼む。建築業の経験はと聞かれ、未経験だが学び方は知っていると答えます。

最終章はホーマーとウィルマの結婚式です。場所はアルの家の広間。何十回とアメリカ映画の結婚式シーンは見てきたが、かくも感動的な場面は知りません。まず、牧師が双方に結婚の有りやを確認する。ホーマー、汝はこの女性を妻とする意志ありや？ Homer, wilt thou have this woman to thy wedded wife?　ホーマー I wil 健やかなる時も病める時も死が汝らを分かつまで愛し、慈しみ……。ホーマーは義手で結婚指輪をウィルマの指につける。うまく出来るだろうか？と見守るアルとフレッドたち。かくてアル夫妻の亀裂も修復され、離れて立つフレッドとペギーは互いに見つめ合う。最初は厳しい生活を送ることになるかもしれないが、それでもいいのかと尋ねる。ペギーは無言で微笑みます。

本作は作品賞はじめ九部門のアカデミー賞。ホーマーを演じたハロルド・ラッセルは助演賞を得た。ラッセルは軍役中記録映画撮影に参加、爆発事故で両手先を失った。おそらく、弾着撮影…砲撃や爆弾炸裂のしかけとして地中に火薬を埋め遠隔操作で爆発させる…に際しての事故ではないでしょうか。

一九五〇年代以降、退役軍人を支援する活動などに積極的に関わる。一九六〇年代前半から一九八〇年代後半まで障害者雇用大統領委員の議長を無報酬で務めました。

昔、生涯最良の、という題名に疑問がありました。心的外傷後ストレス障害（ＰＴＳＤ）とまでいわなくともアルもフレッドも出征前とは心の在り方が変わってしまったであろうし、ホーマーは障害をもつ身となった。なぜベストイヤーなのか？　三人は互いに励まし合う友情と、よりよい生活を目指す意志を得たのです。（ぬのむら・けん）

飛行機の墓場

ホーマー（ハロルド・ラッセル）とウィルマ（キャシー・オドネル）

ダンスの口語化に抗って
O氏のトリセツ
片山陽一

大野一雄の舞踏公演を観に行くと、と言っても私の場合せいぜい90年代半ば以降のことに過ぎないが、横浜の会場にはよく「捜真女学校の体育教師・大野先生」の教え子やその父兄がいた。娘が教わっていたという隣席の女性に、運動会のリレーで大野先生がいかに駿足だったかを開演直前まで話し込まれ当惑したのも、今ではいい想い出だ。大野は67年に捜真の定年を迎えたが嘱託として営繕職に就き、80年に73才で捜真を退職。小中高と捜真育ちの角田光代に、この時期の大野についての短い回想「何も持たずに存在するということ」がある。退職間もない5月に第14回ナンシー国際演劇祭へ招待されて後、舞踏家カズオ・オーノは世界的に知られるようになった。

大野がヨーロッパで注目を集めた理由は、その独自性や精神性、イメージの壮大さにあるのは言うまでもないが、西洋人にとって舞台で踊る老人を観ること自体が珍しかったという事情もあったに違いない。西欧のダンスの中心たるバレエは言うなれば定年制であるし、そもそも演劇祭にダンスプログラムが組まれるようになったのは66年のアヴィニョンに20世紀バレエ団が招かれて以降であった。前衛的なダンスは戦前から様々あるとはいえ、今日のコンテンポラリーに続く流れはまだ日が浅く可能性に満ちていた。日舞や歌舞伎を知らぬ、老いとは無縁の西欧の観客に、突如現れた東洋の老人の強靭な肉体は、神秘とも新しい美とも映ったろう。

◇

大野一雄のことを想い出したのは、昨年12月に京都・春秋座で木ノ下歌舞伎「娘道成寺」(演出・振付・出演＝きたまり)を観たからだ。古典をコンテンポラリーに振付けたソロ作品で、08年初演。今回は長唄と囃子が生演奏(杵屋東成ほか)でもあり、足を運んだのだった。頭に布を被って上手から下手へ歩む冒頭はまるで正統な暗黒舞踏を観る思いで期待したが、手踊りになる頃には早くも単調さが気になり出した。小道具を一切用いぬ心意気は買うが、歌舞伎舞踊の振りを随所に採っている割に、曲を踊り分けられていない。老婆になったり娘になったりするその形は見えても、その女の人生はおろか、身を置く場の気配すら浮かんでこない。背中を見せて踊る山づくしにしても、山の形は見えても、その山の情景は見えない。叙情を排し、叙景もなくては、反復する振付はみな身体言語の貧しさ故のくり返しに見える。不自然なほど絶えず身体に力が入っているのに、全身を使い切る勢いは一瞬もない。そのうえ、長唄や囃子が合わせようと寄り添うのを拒む頑なさまで感じられた。

その拒絶の態度は詞章に対しても同様だ。劇場HPに「『道成寺』対談 きたまり×中島那奈子」が掲載されているが、そこで彼女は《西洋でも東洋でも。古典って、なんていうかな、安易じゃないですか、物語が》《物語に回収されることへの怒りなんですよ。私は物語を演じるために踊っているわけじゃない》と発言。日本舞踊を《めちゃくちゃ習いたい》と言いつつ《それをどっぷりしちゃうと》娘道成寺を《出来ないだろうな》と述べている。作品が作られ受け入れられた歴史と向き合わずに現代の尺度でコンテンポラリー化することこそ安易だし、日舞を習ったら踊れなくなる程度の振付なら舞台で踊る資格などない。一旦、歌舞伎を完全コピーしてから作り上げる他の木ノ下歌舞伎とも質的に大きく異なる。

昨年3月28日、大病が続いた梅津貴昶が歌舞伎座で京鹿子娘道成寺を素踊りし、この演目の踊り納めとした。振付と明解に一致した動きのエネルギーは清々しく、観客の想像力を十分に動かし得ていたと思う。きたまりの娘道成寺はその対極だった。彼女の踊りや発言から漂う劇的カタルシスの拒否、内面や情念の否定といった態度は、平田オリザの提唱する現代口語演劇と軌を一にしている。そしてコンテンポラリーと呼ばれる「口語ダンス」が所詮無知と無心を履き違えた根無し草でしかないことは、初演から11年を経ても、生演奏の娘道成寺に太刀打ちできなかったことが証明している。

◇

昨年は世田谷パブリックシアターで笠井叡「高丘親王航海記」と、麿赤兒率いる大駱駝艦 天賦典式「のたれ●」も観た。前者は澁澤龍彦の原作、後者は種田山頭火をモチーフにした作品だったが、目を惹く若手は若干いたものの、全体からは構成と技巧以外、何の感銘も受けなかった。共に43年生まれのこの二人の舞踏家は、大野一雄が世界へと踏み出した齢にあって、すでに晩節である。麿の掲げる「この世に生まれ入ったことこそ大いなる才能とす」は、もはや運動会では全員一等賞的悪平等を想起させるばかりだ。くだらないドラマや映画の脇役に出まくって「大いなる才能」を研磨できるほど舞踏は甘いものではあるまい。

ジェンダーやコミュニティを居丈高に云々せずとも、大野一雄は軽々とそれを体現していたし、自らの戦争体験を語らずとも、その踊りには地獄も死も生きる歓びもあった。《踊りは、日常生活とかけ離れていない、ということを言って稽古を始めてください》（『大野一雄 稽古の言葉』）という言葉をこそ踊り手は身体に刻むべきだ。

大野一雄が他界して10年、次男の大野慶人も今年1月8日に亡くなった。みんなで踊って動画をアップしたり、振り付きのCMが増えたりとダンスは確かに身近になった。だが公共的になったダンサーたちは「それぞれ身体は違う」「身体と向き合う」と宣っても、大野のように《内面凝視》を説く者はいない。生前の大野を観たことがない川口隆夫は、アーカイブ映像から大野の動きを完コピするパフォーマンス「大野一雄について」を13年から続けている。表層に支配された身体に魂や宇宙が共鳴するはずはない。底に鎮魂という祈りを持たずして、何の芸能か。

（かたやま・よういち）

丸岡澄夫追悼
横浜を愛した映画史家

磯貝友康

『映画論叢』誌には何度も執筆され、最近では「たった一度の邂逅　黒田記代と『情熱の詩人啄木』」が掲載された丸岡澄夫氏について少し書きます。

丸岡澄夫さんは、１９２３年（大正12年）に横浜・戸部で生まれました。父はマドロスさんで一度航海に出るとなかなか家に帰らず半母子家庭状態で姉と兄がいて、末っ子の坊やの澄夫くんを、澄ちゃん、スミチャンと家族一同に可愛がられて育てられたそうです。

長じて横浜商高（現・横浜国大経済学部）３年生の時に、微分積分が解らず、このままでは落第だぞと、先生に注意されて落ち込んでいた時に、「学徒出陣」の話があり応募したそうです。繰り上げ卒業し、学徒出陣で、あの有名な「神宮外苑での雨中の行進」に参加しました。20歳の兵隊さんは軍人教育を受けた後、部隊の一員として満州に渡ります。満州に駐屯中に通信への募集があって、これに応募して合格。そして通信教育は日本の仙台市の部隊に転属し、教育が終わった後、東京の通信隊本部に転属します。その後、横浜支部に回されたが、それが何と自分の母校が部隊になっていた。母校の一部を陸軍通信隊横浜支部が接収していたのです。１９４５年（昭和20年）の春に厚木飛行場へ通信隊の班長として転属して、終戦を迎えます。マッカーサーが来日した後、残務整理をして8月の末に東京通信隊本部へ行って除隊申告をして横浜の自宅に復員しました。

その後、就職活動で焼け野原の市内を駆け回ったがなかなか思う様にいかず、一時的に保険会社や、ペンキ屋

に勤めたが直ぐにやめ、通訳として進駐軍に就職し、これは長く続いたそうです。その内に横浜市の教職の募集があり、これに応募して合格。赴任したのが市立横浜商業学校（Y校）で、教壇に立ち、定年迄勤めました。ちょっと面長でお洒落な先生は生徒達からジェイムス・スチュワートに似ているといわれ、フォルクスワーゲンに乗って通学していました。学校では簿記、タイプなどを教え、ブラスバンドの顧問となり、学校の野球部が甲子園に何回か出た時はブラスバンドの生徒を連れて応援団として行きました。そんな忙しい中、公認会計士の資格も取ります。

元々兄さんが映画好きで小さい頃から映画を見に連れていってくれていました。映画好きは兄の影響です。後年、映画史研究家として定年後30年余りを幸せな余生を送られたのは兄さんのお陰だったのかもしれないと言っていました。

毎年「シネマトーク」の会計報告の打ち合わせで丸岡さん宅に伺っていましたが、ある時、奥さんが「映画ばかり見ていて。会計事務所でも開いてくれたら楽に暮らせていたのに」と、犬の頭をなぜながら笑いながら話していたこともありました。当時は片倉町の一戸建だったのですが、その後犬も居なくなって二人だけになり、希望が丘のマンションに移りました。

今年もマンションのロビーで会計報告の打ち合わせが出来るかと思っていたのですが……大変残念な電話が入りまして、茫然としてしまいました。

丸岡先生は映画史研究家として物書きの才があります。１９１１年、伊勢佐木町（横浜市）に開館したオデヲン座を全国に紹介したことです。「よこはま映画外史・オデヲン座物語」（１９８5年3月～87年6月）。其の後「かながわシネマ風土記」（平成5年10月）。オデヲン座の上映記録を編集された「封切館オデヲン座資料集１９１１～１９２３」は労作です。この後も開港資料館で続編に当たる「ウィークリーにみるオデヲン座興行記録１９２４～１９４２」にも協力されています。佐藤忠男さん編集の『映画史研究』にもときおり執筆していました。

先生には活動弁士（カツベン）の顔があります。名前は丸岡天鵬を名乗り、いろんな処に呼ばれ、その名調子は、多くのファンを魅了しました。出し物は「成金」(18)、「伊豆の踊子」(33)、「港の日本娘」(33) などをシネマトークで聞かせてくれました。

在りし日の丸岡澄夫

先生には舞台役者の顔もありました。女優五大路子率いる横浜ランドマークホールが平成12年5月にNHK芸術劇場にて「横浜行進曲」を公演した時に、オデヲン座の社長役で出演しました。

先生は人を惹きつける才がありました。多分、定年後でしょうか、横浜ペンクラブ、文芸懇話会、郷土研究会などの世話もしていました。その時に沢山の友人ができました。そんな中、ある集まりの時にオデヲン座が話題になり「オデヲン座を懐かしむ会」を１９８８年1月15日に立ち上げました。其の後「オデヲン座メイト」「フリートークの会」「フリートーク」改め、１９９０年（平成2年）「シネマトーク」を発足しました。代表は勿論丸岡澄夫先生です。以来30年近く、殆んどシネマトークの毎月の例会を一人で仕切っていました。現在四十数名の会員は、昇天された先生が信じられなく、立ち往生しています。然し、何時までも涙してはいられません。会員一同協力して継続します。

先生はいつも笑顔でした。誰かが言っていました。「シネマトーク」の定年は96歳だよ、と。

戒名は「映雲壽澄居士」です。（いそがい・ともやす）

〈写真提供＝三浦淳子〉

B級映画を語る③

俳優たちの流転の旅

永田哲朗・増淵健

羅門プロみたいな極東

永田　極東キネマはかなり意欲的なところがあったと思うよ。大都から海江田譲二を引っ張ろうとしたりしてね。海江田は当時、大都のトップスターですからね。大騒動になった。

増淵　それはいつごろのことですか。

永田　昭和十一年でしょ。この記録を見ると。これがモメてとうとう実現できなくて、海江田はプロダクション作って、それから今井映画というところへ行くんです。戦後の五社協定と同じくね。五社連盟というのがね、全国の映画館主に海江田の作品は絶対に上映するなというお達しを出したんですね。だから彼の『桧山大騒動』は一年くらいおクラ入りなんです。これじゃプロダクションなんて一発で潰れてしまう。海江田はこれでつまずいたんじゃないかな。何しろ阿部九州男より大都じゃ上だった人だからね。

増淵　B級映画でもそういう引き抜きとか熾烈な闘いのようなものがあったんですね。

永田　小キネマだからかえって興行価値のあるスターが欲しいということなんじゃないですか。極東スターの顔ぶれを見てみると、悪玉ナンバーワンの片岡左衛門なんか大物ですよ。それに初期のころ片岡長正が脇役でいた。この人は尾上松之助の相手をして立女形だった大スターですよ、昔の。もちろん極東ではフケ役だけど。『妖術白縫蜘蛛』なんての出てるけど、僕は憶えてないね。マキノ系の小島陽三もフケ役でいたし、東亜キネマの若衆役者だった市川龍男や二枚目だった若月輝夫もいた。この人は主役作品も撮ってる。それからマキノで主演スターだった楠武夫の名前がある。帝キネ——帝国キネマの敵役だった片桐恒男、勝見庸太郎プロにいた森悦郎、戦後新東宝での『明治天皇と日露大戦争』で乃木大将になった林寛の名もあります。

増淵　メモに記録してるんですか。

永田　ええ。俳優の名前を年度ごとに会社別に控えてるんです。だから誰がどこへ移ったかとか、デビューがいつかとか、いつごろ消えたかなんてのが大体つかめる。大会社にいなくなって俳優名鑑から名前が消えたような人でも、思いがけないところに出てくるんです。極東にはかなり集まった。十二年にはマキノや大都で主役スターだった沢田敬之助が入っている。僕は見てないけど、伴淳三郎もいた。伴ジュンと片仮名でね。『怪人金仮面』なんてのに主演してる。末期には松竹の尾上栄二郎が入社しているね。あと目立つのは水原宏二。この人は洋一とか庸一とか蛟一郎とかやたら改名してますがね。最初は土肥一成——了治。戦後大映に落ち着いて水原浩一だった。

増淵　あまり聞いたことのない名前ばかりですけど、そういうようにいわれると、なかなかの顔ぶれということになりますね。

永田　極東は九年末の創立で、最初のスターが羅門光三郎なんです。この第一回作品『荒木又右衛門』を無声映画会で見たけど、いや強いのなんのって。荒又はいろいろな俳優で十何人くらい見てるが、

全勝映画『愛染吹雪』の松本栄三郎。宮川敏子と

阪妻よりも右太衛門よりも強い感じだね。跳ぶんですよ、二刀をふりかざしたまま。鼻の穴をひろげた憤怒の表情すさまじくね。まさに、〝猛優〟ですね。幕末の志士、益満休之助が十八番で、極東でも撮っているんだね。

　翌十一年に極東が撮影所を移したとき、羅門と綾小路紘三郎、市川寿三郎らが残留して甲陽映画社を作るんです。ところが綾小路も寿三郎も間もなく極東へ移って、甲陽は羅門一人になってしまう。あとで天津龍太郎とか古い子役の小川国松が菊地一郎と改名して入ってきたが、羅門プロみたいなものでね。結局一年で解散。羅門は今井映画を経て、新興キネマに入るんです。面白いことに極東に入りそこねた海江田譲二ね、彼も今井に来て羅門と二枚看板になるんです。

　それで羅門たちがいなくなった極東は、マキノトーキーから雲井龍之介を入れて筆頭俳優にした。雲井は東亜キネマのときは光岡龍三郎と並んでトップスターでしたがね。大都の前身の河合映画あたりまではよかったが、日活とか第一映画では落ち目だったんですね。小キネマだってトップの方がいいに決まってる。ま、羅門がいた方が極東としては重みがあったとは思うけど…。あと日活から阪東勝太郎を引っ張ってきた。のちの青柳龍太郎ですね。豪快な風格の持ち主で、やはり〝猛優〟の口なんだろうけど。そういうのになると羅門の馬力には及ばない。一年ちょっとしか在社してないですね。

　このとき日活から尾上菊太郎も引っ張ろうとしたらしい。『キネマ』という雑誌に載ってるんです。彼ならピッカピカの金看板ですよ。さすがに動かなかったようだが、菊太郎に手を出したなんて、極東の意欲を買いたいですね。

実演は没落に非ず

増淵　いよいよ全勝キネマの話になりますけど、全勝では松本栄三郎がダントツで、彼の主演作は〝美男・松本栄三郎〟と謳ってあったと……、これまた非常におかしいんですがね。そういうようなもんだったんですか。

永田　僕はそう書いてあるポスターの記憶がある。地方（北海道）だけポスター特別に作るわけないんだから、そうして売ったんでしょう。別に松本栄三郎って美男のイメージじゃない。丹下左膳の相手役の諏訪栄三郎、あれが二枚目だけどね。さすがに松竹とかメジャーになると〝美男〟とは使わないだろうね。天下の二

枚目とかなんとかチラシには書くけど。美男というとやっぱり林長二郎だろうね、僕らの認識でいえば。ただ、あれ女形みたいでちょっとね。右太衛門とか千恵蔵なんかがキリッとしたいい男。その次が坂東好太郎だろうなあ。なんにしてもポスターに〝美男〟と謳ってたのは松本栄三郎のほか知りません。阪妻や大河内の〝剣戟王〟というのはよく見ましたがね。

増淵　十九年に新宿の劇場に出演した記録があって、その後はお定まりのドサ回りをつづけたのは、さっきの話と同じ。

永田　松本栄三郎の舞台見たことはないですけどね。

増淵　やっぱり戦前B級スターの末路は、そうであったと。

永田　みんなそうね。ただどのていどの規模で回ったか、調べつかないんですがね。近衛十四郎に聞いたら、彼の劇団は発足したときは五十人ぐらいかかえていたっていいますからね。たいてい三十人ぐらいからでしょうかね。川浪良太郎が松竹専属で新大衆劇団作った、十六年ですか。時代劇スターほとんど入っちゃたわけだから、百人近いんじゃないんですか。すごいですよ。川浪良太郎は「首席」っていうんですよ。

増淵　毛沢東みたいですね。

永田　首の席ですがね。阪東好太郎は先に報国劇団ての作ったし、高田浩吉も一座を持った。残りはこの劇団ですよ。だから戦中の松竹の時代劇てのはほとんどないわけですよ。

増淵　その、いま近衛十四郎、五十人もかかえてたっていうんだけど、ドサ回りていうのは、そんなに人数多いものなんですか、本来。

永田　いや、あのね、結局ドサ回りったって、いい劇場出る分にはそのくらいいるわけですよ。始めは旗揚げのときはね。ああこいつと一緒にやりゃいいと思ってね。ワーッと集まるんです。だから杉山昌三九が劇団世紀座を作ったときは、中野英治だとか本郷秀雄、光川京子とか、大変な顔ぶれが集まったんですよ。ところが給料高くてやっていけないなんて、ドンドン、ドンドンちぢまった。大都がなくなったんだから、やっぱり当時は五十人や六十人集まったんじゃないですか。どんどん減っていくわけ。当らないと。新国劇だって沢田正二郎が作った最初はご難つづきで縮小して、最後のバクチで『国定忠治』やって、それからだんだん大きくなっていったでしょ。そういう夢があるんじゃないですか、みんな。俺たちだってと思ってね。一応名のある映画スターがやれば集まるわけです。いまみたいにテレビがないですから。映画が作られなくなれば娯楽がなくなる。それで結局、実演だとかそういうものしかないから。

増淵　そうすると、僕らのイメージだとドサ回りというとみじめなイメージだけど、希望に燃えた新しい世界なんですね。

永田　初めはね。それは大したものですよ。別な天地に斬り込むということでしょ。新国劇あり、前進座もありさ。ほかにも金井修や辻野良一の劇団だとか大江美智子や不二洋子らの女剣劇だとかいろいろあったけどさ、そういう連中より名が通っているわけでしょ、映画スターとして。大体籠寅興行が仕切ってたのよね。

増淵　ドサ回りを落ちぶれちゃったと考

えるのは違いますね。B級の場合は。

永田　浅草の小屋に出てれば一応A級なんです。公園劇場にしろ常盤座にしろ、そのへんに出てればA級なんで、だんだんダメになってくと流れの旅路になっていく。それでも九州あたりを回ってるのは良かったんじゃないですか。

増淵　増産体制でうるおってたでしょうし、人も多かったでしょうし。

永田　そういうところを回っているうちにダメなものは完全にパーになっちゃう。

増淵　それはだんだん戦争が激しくなってきて、回れなくなっていた、いろいろそういうことあるでしょうね。

永田　いや、それはないと思う。どうせ列車に乗らなくてもいいんだから。積んでトラックで行けばいいんだから。

増淵　ガソリンの配給なくなるとか、そんなのはどうなんでしょうかね。空襲があるでしょ、公演ができなくなる。

永田　それは最終的には食いもののあるところを歩く。食いものさえついてりゃいいわけだから……。

増淵　スターのドサ回りって戦後もあったんですか。

永田　ええ。ドサ回りというより実演ですね。戦後は映画も本数少ないし食糧事情も悪いし。特に多かったんじゃないですか。アラカンだって戦時中満洲に巡業行ったことあるし、戦後も一座で回った。阪妻や千恵蔵も劇団はやったことがある。もちろん大劇場使ってたけど。

増淵　ドサ回りの収入はいいんですか。

永田　トップになりゃかなりいいんじゃないですか。契約料なんかにもよるだろうけど……。高田浩吉は完全にドサ回りやりました。弟子だからね、鶴田浩二は。

増淵　ドサ回りてのは日銭が入ってくる魅力があるんでしょうね。

永田　そうですね。大体、小屋主と折半っていうのがドサ回りのキマリらしいから。だけど籠寅興行みたいな大きなとこ

川浪良太郎

ろに所属していれば、おそらく専属料が入ってくるんじゃないですか。坂東好太郎にしろ大江美智子や不二洋子なども専属ですから。それが人気がなくなって客が呼べなくなると、いらないよになっちゃって、自分で小屋と契約して歩かなければならない。

高円寺にやっぱり小屋がありましてね、三十年ごろかな、沢田伸二郎とかいう劇団がやってた。そして双葉勝太郎って名をその中に見ましてね、ああ懐かしい名前があるなってんで話を聞きにいった。双葉さんてもとの全勝の役者ですかって。そしたら、ああ吉井さんとは違います、別の人ですっていうんです。ちゃんと知ってるわけ。双葉が二人いるのかやめちまったのか分からないけれど、別人だっていうんで帰ってきたけどね。吉井菊太郎ともいったんです双葉は。だから吉井さんと違うっていうことは若い役者が別にいたわけだ。

ニセモノ、パクリは当たり前

増淵　次に大河内龍なんですが、『龍虎双刀士』で丹下左膳のソックリさんが二人も登場するという珍作があったとか。

永田　残念ながら、それは僕見てないんですよ。だが当時の映画雑誌のグラビアにのっている。もう一人は尾形章二郎という役者でね。

増淵　大河内龍って当然大河内伝次郎を想像させるわけですね。さらに丹下左膳を連想させるわけで。

永田　それは当然やってしかるべき役柄とマスクでね。多分に伝次郎を意識して芝居していたと思う。例の三白眼をむいてね。でも全勝では〝演技派〟なんです。名作といわれている溝口健二監督の『元禄忠臣蔵』にチラッと出てましたがね。奥田孫太夫かな、例の籠城か切腹かという評定のときにね、烏天狗みたいな顔してガン首並べてた。そういえば綾小路も名前が出てたんで一所懸命探したけど見つかんなかったな、これは。

話は違うけど、大河内俊雄という剣劇の役者がいてね。これは丹下左膳専門、浅草にも出てました。

増淵　大河内と似てるんですか。

永田　痩せてる、もっと。大河内伝次郎より痩せてて、タッパがもうちょっとあって……。はじめ大河内伝次郎と名乗って問題を起こしたんですよ。

増淵　丹下左膳と並ぶ有名な鞍馬天狗ですが、宝塚で『疾風鞍馬天狗』を撮ってる……。

永田　ああ、斯波快輔ね。

増淵　嵐寛寿郎の天狗が有名すぎて、確かに他がカスんじゃったわけですけども。

永田　天狗役者は十何人いますがね。

増淵　これどういう俳優さんなんですか。

永田　あとで辰巳好太郎と名前変えてね。全勝ではかなりいいところいったですよ。極東にも初めのころ脇役でいました。四番目くらい。こいつはかなり見てる。わりとどっしりした感じですね。

増淵　宝塚キネマとしては鞍馬天狗一本？

永田　そうです。正確にいえばタイトルもキャラクターも天狗なんですが、大仏次郎原作じゃないんですよ。なんでも最初は大谷日出夫でやる予定が、彼が病気で中止になったと記録にあります。

『山嶽魔女（女ターザン）』の三城輝子

増淵　贋ものの鞍馬天狗ですね。

永田　月形半平太もね、松本栄三郎が全勝で作ってる。しかし原作は行友李風じゃない。タイトルは『月形半平太』じゃなく『時代の風雲児』となってますが、物語も人物もそのままなんだ。そのへんが面白い。B級たるユエンですかね。

増淵　いまだって、イアン・フレミングじゃない007やったら、大変な問題になりますね。

永田　原作料払ってね。あとどう処理しようとこっちの勝手だというところはありうるんですけどね、払わないんだから。

増淵　それで通ってきたんだから愉快な時代なんだなあ。樺山龍之介の『キングコング』という作品があったって？

永田　僕はそれも見てないです。『曠原の美丈夫』だと思うんですがね、ターザンですね、僕が見たのは……。

増淵　『キングコング』って題名で？

永田　『キングコング』なんですよ。大阪の中島さんは日本の所謂スクリーン・ファンタジーの最初の人じゃないかといってるんですよ。

増淵　そのへんの記録全く残ってないですか。

永田　キネ旬にのってたかな。『キネマ』にはちゃんとのってます。それで僕は『キネマ』って雑誌求めているんですがね。極東・全勝の作品がっちり紹介してるのはこれくらいのものでしょ。

増淵　『映画宝庫』で『キングコング』の特集したときに、それ出なかった。それで読者から一通だけ来たんですよ。『曠原の美丈夫』はやっぱりターザンですか。

永田　ターザンです。中島さんの話だと樺山は大分県の山の中で木こりやってたのを見つけてきたということですが、当時としてはでかいですよこの男。相当大きい人に見えたね。腰蓑みたいな布つけて勇ましかったね。演技力なんておそらくない人だと思うけど、和製ターザン四、五本作ってる。タイトルも堂々と『巌窟王ターザン』ですよ。

増淵　それ日本で作ったころには向うのターザン来てたわけでしょ。

永田　当然、当然。『山嶽魔女（別題：女ターザン）』なんてのも作られたしね。やはり大変な人気だったんですね。これは大都で三城輝子主演です。

増淵　エノケンの思い出話かなんか読んでると、当時向うではやってたもの入ってきて、主題歌なんかもね、歌詞を変えてレビューかなんかでやったって。

永田　『ジゴマ』なんてすぐ日本でも作って。極東でも雲井龍之介で作った。ダグラス・フェアバンクスの『ドンＱ』、あれを森野五郎が『鈍急之進』ってやった。やっぱり仮面かぶってマント着てチャンバラですよ。これはかなり面白かったらしい。

増淵　『白野弁十郎』みたいの。

永田　『鈍急之進』のことは森野五郎に聞いて、大変ユニークじゃないですかっていったら、いやぁ大分抵抗ありましたよなんていってたけどね。

全勝の〝格落ち〟感

増淵　市川松之助っていうの……。

永田　この人もメジャーからマイナーに流れてそれっきりになったケースの一人だね。森野五郎にいわせると、彼を牽制するために蒲田に呼ばれたスターの一人ということだけど……。この人のは松本栄三郎と一緒のやくざものと、実川童が少年ターザンみたいになって活躍するのとくらいしか見てない。あまり派手さのない人だったと思う。

　『映画宝庫』にも書いたけど、全勝は極東にくらべると役者の層が薄いんです。敵役だって片岡左衛門に対して大城喜八郎じゃ格が違いすぎる。それでも十一年に新興キネマから大谷日出夫を引抜こうとしたことがあるんです。大谷がちょっと自分の処遇について不満をもっているところへ、志波西果監督、この人も一時は鳴らした人なんですね。彼が話をもっていってほぼきまりかけた。ところが志波監督の話と違うというんでドタン場で流れちまった。一時は相当モメたらしいですよ。なにしろ全勝の社長の山口天龍という人はちょいとした顔役ですからね。ヘタすりゃ大谷だってヤバい。契約金が当時の金で二千円とかっていわれてた。

　このあとで杉山昌三九が二カ月ばかりゲソつけて二、三本撮ったんですね。これは聯合映画という一種の独立プロのようなものを作るてんで新興を飛出した人だけど、これが宙ぶらりんになって、その間臨時に出稼ぎみたいな格好で……。全勝にとっては大変なイメージアップになったわけだ。まあ大谷とか杉山クラスが入れば看板ですよね。

増淵　そういったことは全く映画史には出ていませんね。

永田　僕なんかはこういう話が大変興味あることでね。だからこのスターの動きを追っているのが楽しい。あと、十二年の一月にですね、河部五郎を入社させようとしたが中止になってます。もうこの時分だと河部は完全に脇役でしたけど。しかし名前は大きかったからね。往年の帝キネの大スター嵐璃徳も出てるけど、これは臨時の出演でしょ。東亜キネマの実川長三郎とか、東洋映画という小キネマで主演ものを撮った阪東宗三郎、全勝でも二、三本主演している。天津龍太郎、富士幸三郎、さっきいった実川童が主演級。それに大道寺伸太郎とか環富也、天津哲次、藤浪麗三郎、鳴戸史郎、日疋龍太郎なんてとこがキャスティングを見ると主な役で出てますが、さっぱり分かりません。何しろ全勝の役者はポッと出てくる感じであまりキャリアのある人いませんのでね。

　戦時中松竹で『天狗倒し』という鞍馬天狗が三人だか四人出てくるのがあって、佐分利信がホンモノだと思っていたら、盛内政志さんというおっそろしく古い映画を沢山見てる博覧強記の盛岡の人が、ホンモノは黄調元とかいう中国人で酒井猛がその役をやっていたというんです。天狗映画史の書き替えですよ。この酒井猛がバイプレイヤーで全勝にいたというので調べたら、確かに名前あった。もちろん僕は記憶もないし分からない。『天狗倒し』は見たけどね。

　全勝が松竹の傘下に入って興亜映画になった、十六年一月ですね。そこに小杉勇とか山本礼三郎、結城一朗、山内明、東野英治郎らが入ってくる。梅若礼三郎とか嵐菊麿なんて古いチャンバラスターも来た。最初は松本栄三郎も天津もみないたんだけどすぐやめて巡業に出ちゃったんだね。大河内龍だけ最後まで残ってたから『元禄忠臣蔵』に顔出したし、川浪良太郎の劇団にも加わったんです。

増淵　極東・全勝は三流映画と呼ばれていますが、その三流って言葉は巷間に流布してた言葉なんですか。批評家なんかがいった言葉なんですか。

永田　どうでしょう。どうも僕らにしてみれば、三流も何も意識していないから……。ただ三流てなことは確かいわれてたですよね。御園京平さんが『栄光の三流映画』というのを出しましたよ。

増淵　B級の言葉の発端がどこにあったか分からないと同じようにね。児玉数夫さんなんかはゲテモノ映画といってましたね。

永田　B級っていい方は僕らの時にはなかったと思う。西部劇にはあったけど。

増淵　七〇年代に入ってかららしいんだけども、誰がいい出したか分からないんだけれど……。

永田　西部劇見てると、五〇年代からB級と使ってますね。

増淵　僕、誰かが使ってたの見て使ったんですけど、だから山田宏一だったかなと思うんだけど、ほかの先生によると戦前から映画界内部の人は使ってたんじゃないかというふうにいう人もいまして。B班とかA班とかいいますでしょ、A班は一流だと……。B班は外景だけ撮るとかいう一つの映画の中でスタッフが分かれるでしょ。

永田　チャンバラについてはB級なんて言葉はなかった。

増淵　そのかわり三流という言葉があると面白いなんてことになる。なるほどなと思いますが。

永田　だから三流役者っていうが二流役者とはいわないですね。殿山泰司のいう三文役者というのもあるな。

（ながた・てつろう／ますぶち・けん）

「ムービーマガジン」をご存じですか？　第十三回　番外篇

愉快な「映画雑誌の秘かな愉しみ」展

浦崎浩實

「NFAJ（ナショナル・フィルム・アーカイヴ・ジャパン、と長ったらしいのがご愛敬だが、旧フィルムセンター）での「映画雑誌の秘かな愉しみ」展（9月7日〜12月1日、2019）を、日にちを変えて2度も覗いてしまったが（なぜ2度か、後述）、カンメイ久しくし！

展示物に触れないでください、云々の出口近くの〝注意〟表示に爆笑、2度もね！　ガラスケース（プラスチック？）を叩き割って触れようってシネフィル・モサ（猛者）がいるらしい？　その可能性はともかく、お役所はとかく、注意好きらしい。展示といったって、正確には映画雑誌〝表紙〟展であります。それも、似たり寄ったりで、女優の顔が中心。今更のように、映画雑誌の表紙が女優の顔でもっていたことに、気づいた次第（ありがとう！）。

表紙はどこまでも表紙であり、雑誌の入り口でしかなく、本体に迫りようがない。チラシの謳い文句、〝貴重な日本の映画雑誌を多数展示！〟って、千三や（千のうちマコトは3つ）の口上も、負けそう！　絵画のように、ポスターのように、それ自体で完結しているモノと雑誌は決定的に違いますよね。

それくらいは承知のスケ、の展示でしょうが、申し訳程度に、見開きページの展示が二つ（むろん、ケース

の中)。「映画の友」の谷崎潤一郎訪問記事、と「映画評論」誌の某氏執筆のページ。前者は、権威付けのスノビズムに拠ろうが、後者(の人選)になぜ？ と思ったら、この催しに関連したトーク氏なんですね。(お追従は怠らない、さすがお役所！)

本展のゲネラスバスは、コレクションはひけらかしたいが、でも、触れさせたくない、といったコレクター根性に基づくや？ 触れさせたいような気にさせる〝仕掛け〟って、あるんじゃない？ こんな私だって、そのアイディアの一つや二つ、ありましてよ！ NFAJの予算は潤沢なのだから(いかに潤沢かは、後述)、触れさせなくとも、その錯覚さえ起こさせない展示って、(再び)エライ！

一巡して、おや？ と。「平凡」はあったよネ！ 「明星」は？ で、巡り直し(初見時の)たが、ナシ！ 会場で配布されていたリストにも無く、軽いショック！むろん、鉄幹・晶子らの「明星」に非ず。「平凡」(平凡出版↓マガジンハウス)に遅れまじと刊行された「明星」(主婦の友社刊)のことよ。わが紅顔の(厚顔、の誤記にあらず！)中学生時代(日本のはたて、石垣島、です)、体育の男性教師が、「俺は立派な映画雑誌を購読している、〝平凡〟や〝明星〟じゃないぞ、キネマ旬報だ！」と生徒に、誇らかに宣言したエピソードは、以前、他誌に書いた記憶があるが、北は北方領土から南は尖閣諸島まで(責任持てないが)、日本最大の購読層を持つ映画雑誌といえば、誰が何と言おうと、平凡、明星の2大誌で、雑誌界における燦然たる輝きを、主催者は知らない、らしい？片方をスルー出来るなんて、半端な神経とは思えず、何らかの意趣あり？ 昨今の「明星」誌は知らないが、現状を見越して、往時に思い至らずや？

ここに来て、それまで微苦笑をもって寛大に眺めていた展示に、一挙に不信感噴出。

アニメ誌のセクションで、「COMIC BOX」が抜けてません？ 発行・編集者は、映画館オーナーにして、今や「ニッポニアニッポン フクシマ狂詩曲」監督で名匠の名をほしいままにしている才谷遼氏の業績の一つでありますす。

末井昭氏編集の「ウィークエンド・スーパー」、「ZOOM-UP」(白夜書房刊)も展示ナシ。後者は先の展示プログラム・リストの「成人向け雑誌」セクションに誌名があるが、発行所の記載が違うから、別誌か？前者には、松田政男氏、山根某、北川某、梅ちゃんこと梅林敏彦……ら錚々たる反骨の評論家（!）が健筆をふるっていたはず。

「映画宝島」も月刊誌としては短命だったかもしれないが、別冊形式で結構続いていたはずだが、展示ナシ。

地方誌のセクションでは13誌も挙げながら、現役バリバリ誌の札幌「RAYON」（金川真由美さん編集発行）を無視しており、ゴーマンかましたくなり!

「CIN893EMA」（シネマ　ハチキュウサン）も現役だったかと。横浜の小島光雄氏発行。B5判型の分厚いもので、年1〜2回刊行。

宮口精二発行の「俳優館」を映画誌の仲間にするのなら、築地小劇場の機関誌「築地小劇場」を並べなきゃバチアタリっす。わが手許にあるのは大正末年あたりからの4冊（4号）くらいなものだが、八住利雄の演出家論など今もって傾聴に値しよう。えッ? 八住って知らない? （死ね、お前ら!）

「映画雑徒」という、雑徒とは名ばかり、選良の誇らかな映画誌も何号か続いていましたよネ。

「西部劇通信」も結構続いてました。発行者の田中英一さんは雑誌・書籍のエディトリアル・デザイナーだったと記憶します。

竹中労応援雑誌「浪人街通信」ってのもありました。

「西部劇通信」（昭和50年12月）。おかだ・えみこ、おうつか・こ〜へい（誰?）等が執筆

前記リストを眺めながら、「アートシアター」誌を〝評論誌の充実と展開〟セクションに括っているのは誤認だと思う。原則的に上映館でしか売っていなかったはずで、プログラムの発展形です! あるいは、同リスト分類に依拠すれば、スタジオ誌か。評論誌ていうのは肯定も否定も載せてこそ、じゃないの? 「アートシアター」誌は当然といえば当然ながら、好意的評価ばかりでしたよ。手元にあったものは、以前、生活に窮して古書店に売り飛ばし、1冊もございませんが。

〝戦後の映画雑誌〟の括りで、更なる括り〝シナリオ誌〟セクションに「時代映画」を加えているのにも私などには大いなる違和感しかない。そりゃシナリオを2作は掲載していたし、ページ占領的にも、シナリオ誌の趣ではあろうが、あの雑誌は、時代劇の隆盛↓衰退を反映した映画一般誌、あるいは必死の抵抗誌、というのが、同時代的な私の認識で、それを、シナリオ部分がページの半分以上占めるから、シナリオ誌、という大雑把な神経に殺意さえ覚える。もとより当方、シナリオ作家、シナリオライター（どう言ってもよろしいが）に、監督以上に敬意を払う一人であります。

情報誌セクションで、プガジャこと大阪で発行されていた「プレイガイド・ジャーナル」誌が私の知る限り日本の情報誌の先駆けのはずだが、ここには挙げられずじまい。後に名古屋版も発行されたと思うが、「ぴあ」が「関西ぴあ」を出すようになって、同誌は廃刊に追い込まれている。東京でもプレイガイド自体が発行する冊子があったはずで、そして「ぴあ」にホンの少し先駆けて「観覧車」という名の情報誌が発行されております。ロンドンの情報誌「タイム・アウト」、パリの「パリスコープ」といった情報誌や、「週刊新潮」の情報欄が「ニューヨーカー」誌を模倣したものと聞いて、勉強したり。それらはイエナで買えたり、英国やフランスの日本の出先機関で見られたし、マガジンハウスの世界雑誌館（？）もありましたね。ついでに言えば「ぴあ」のライバル誌「シティロード」（展示あり）の前身「コンサート・ガイド」も置いてあれば……。

「浪人街通信」。白井佳夫の「キネマ旬報」編集長解任を享けて発行された

「学生による研究誌」セクションだが、点数、こんなもの？　たまたま手元に送られてきたもの、入手したものを並べているだけでは？　草の根を分けて、蒐集したものではないですよね。

それで悪いか、って？　本展に持つ全体的違和感は、まさに、ここ、その展示主体なのであります。個人コレクションの展示なのか、ＮＦＡＪの面目を賭けて展示したのか、と。

例えば、先のリストの最後に記された謝辞に、ＮＦＡＪのスタッフの名前が挙げられているが（同所客員研究員とか）、身内に対しても謝辞を？　アカデミー賞授賞式ではあるまいし、ね。（ついでながら、この人物から来た年賀状にもＮＦＡＪの仕事で忙しい、なんてありましたっけ。自画自賛賀状にはもう返信しないことにしました、悪しからず）

で、この謝辞から推測されるのは、個人コレクションを、公的コレクションのように装って展示しているのでは、ということ。故に、展示漏れがあるかもしれません、という留保の表示の必要まで思いが巡らなかった、のだろう、と推察。

右に遺漏誌と思われるものを上げてみたのも、多少は後学の益になろうか、と老婆心までのおせっかいです。

そうは言っても、「ムービーマガジン」（以下、ＭＭ）も展示から漏れてますよ、って？

まさかァ！　ＮＦＡＪから頂戴するご案内の数々は必ず、〝「ムービーマガジン」編集部　浦崎浩實様〟として届くんですから。ムービーマガジンを忘れずにいて下さるのは、広い世界で、ＮＦＡＪと「映画論叢」誌くらいなもので、毎朝、その2箇所の方角に一礼して、一日を始めております。

そんなＮＦＡＪがＭＭの展示漏れ？　信じませぬ！

いや、思い当たらないこともない、か？

ＭＭは〝秘かな愉しみ〟といったシネフィルの慰みモノにならない雑誌を目指していた、のだった、と言えば信じていただけますよね？　今回の展示責任者はそれを鋭く見抜いて、加えなかったに違いない、と！（本展の数少ない、慧眼かも）。

冒頭に、2度見た、と記したが、展示リストにあるものの、なかったように思えた同人誌、地方誌などがあったので、同所に電話したら、リストにあるものはすべて展示してます、というので再度出かけたのです（むろん、無料切符で）。確かにありましたが、引き出しの中のものを〝展示〟とはね！　凄い日本語！

ＮＦＡＪのいかにも潤沢そうな予算についてだが、以前にも書いたように思うが、1階の出券係が2名、エレベーター前に守衛だかが1名、開場待ちのコーナーにも1名、2階に上がれば、エレベーター前に1人、もぎり2人、場内見回りに1〜2名。このキャパで何たる人数！（民間の映画館を見よ！）

というところで、せっかくの連載復活なのに、番外に費やし候。

（うらさき・ひろみ）

《映画の見かた》の見かた㉟

生活に溶け込む映画

重政隆文

十河進《そごうすすむ》の『映画がなければ生きていけない２０１６―２０１８』（二〇一八年十二月、水曜社）はシリーズの六冊目で、これが最終巻である。二十年間にわたって毎週、身辺雑記の形で書かれた。ほとんどの項目に映画が絡む。

実は本書を読んで私はグッタリした。重労働をした後のような感じだ。Ａ４版、二段組み、５５０頁という分量に圧倒されたのではない。映画の粗筋解説の多さに辟易したのだ。しかし、本書には心惹かれるものが多々あった。それが何かを論じてみたい。

十河は映像関係の出版物の多い玄光社を勤め上げ退職した。その間、映画について書き続け、並行してミステリー小説も書いた。江戸川乱歩賞の最終候補にまで残ったことがあるそうだ。退職後、故郷の香川県高松市と自宅の千葉県とを行き来する生活となり、その底に映画がずっと横たわっている。

映画を絶え間なく見続けている人に共通することだと思うが、何か考えている時、その事例に関係のある映画がふと思い浮かぶ。オスカー・ワイルドの言った、人生が芸術を模倣するのと少し似通っている。また、ジェイムズ・ジョイスの「意識の流れ」という面もある。何かをきっかけに次々といろいろなものが連想され、どんどん話が膨らみ広がっていく。例えば、雪の降ったある朝、彼は歩道橋で転倒する。すぐ階段落ちの『蒲田行進曲』が思い浮かぶ。さらに宝塚歌劇の舞台版『風と共に去りぬ』、映画の『サイコ』から、エスカレーター落ちの香港映画や三島由紀夫が出演した『からっ風野郎』にまで話が及ぶといった具合だ。

音楽からの連想を挙げてみよう。ロシアの歌に「百万本のバラ」がある。この曲がウクライナのプリピャチを舞台にした『故郷よ』（二〇一一年、ミハル・ボガニム監督）に出てくる。この映画の結婚式シーンで新郎の消防士に緊急招集がかかる。チェルノブイリ原発が事故を起こしたのだ。この映画は、正式な情報開示をしなかった当時のソ連政府を告発するが、立ち入り制限地域でのこの映画の撮影をなかなか許可しなかった現ウクライナ政府への告発にもなっている。そこから福島の原発事故の処理を「アンダー・コントロール」と首相が「大嘘をついた」（51頁）結果、オリンピックの誘致に成功したことに話が及ぶ。「共産党一党支配の社会主義国で秘密主義だったソ連でも、民主主義を標榜する国（現政権の対応を見ると怪しい限りだけれど）である日本でも、権力者は同じことをする」（52頁）。それに関連し、日本映画『家路』（二〇一四年、久保田直監督）の話に続く。福島原発事故で自宅と農地が立ち入り禁止地区になり、仮設住宅に住み農業を続ける家族を描いた映画だ。

生活を根こそぎ奪われることがどういうことなのか、フィクションの形で「家路」は見る者の胸に迫る。

感じさせる。誰が彼らをこのような境遇に落としたのか。誰が彼らの人生を狂わせたのか。生活を奪ったのか。言いようのない怒りが湧き起る。（52頁）

この映画に主演した松山ケンイチをこれまで捉えどころのない俳優だと十河は思っていたが、この映画ではその持ち味が活かされたと話を進め、すっかり母親役が定着した田中裕子に複雑な感慨を抱く。

例えば旅先からの連想。十河夫妻は金沢を訪れた。改修中の泉鏡花記念館から話は鏡花原作の映画作品に話が飛ぶ。一九七九年から八一年にかけて鏡花原作映画が流行した。『草迷宮』『夜叉ヶ池』『ツィゴイネルワイゼン』『陽炎座』である。その頃、岩波書店が全12巻の鏡花選集を出す。十河は購入し現在も手元にある。映画と本が連動して十河の生活に溶け込んだのだ。特に『陽炎座』（一九八一年、鈴木清順監督）が彼に強い印象を残す。

「陽炎座」の映像的迫力は、圧倒的だった。二時間二十分もあるのに、巻頭から結末まで唖然としているうちに過ぎ去ったという感じだった。物語の異様さもあったし、それを目眩のするような幻想的イメージに結実させた清順マジックの凄さもあった。（95頁）

話はここで終わらず鈴木清順の過去の作品の回想に移る。十河は『けんかえれじい』『東京流れ者』で清順に惚れこみ、一九七〇年に上京してからは名画座オールナイトに清順作品を求めて通った。前者については、監督ではなくヒロイン・浅野順子への言及が後にある。大橋巨泉の訃報についての項だ。実は大橋との結婚を機に浅野は映画界を引退していた。

当時、８ミリ専門雑誌『小型映画』の編集者だった十河は『陽炎座』の製作・荒戸源次郎と鈴木監督にインタビューした。その記事を雑誌に掲載した。それを読んだ映画評論家の松田政男は、鈴木監督があれほど具体的に舞台裏を話すのは珍しい、と褒めたという。

話は続く。金沢には他に室生犀星と徳田秋聲の記念館もある。犀星原作の成瀬巳喜男作品『あにいもうと』（一九五三年）では森雅之がこれまでとまったく違う「川沿いの家に住む護岸工事の肉体労働者である。父の代は親方だったが、今は零落している。彼は荒々しく、語気強く怒鳴り、口より先に手が出る」（98頁）という役柄を演じたことに触れる。今井正監督の三度目の映画化（一九七六年）では同じ役を草刈正雄が演じた。「森雅之や草刈正雄のような優男で美男子の俳優でなければ、妹たちに対するあの微妙な愛情は表現できなかっただろう」（99頁）という感想をもらす。話はさらに秋聲原作の成瀬作品『あらくれ』（一九五七年）での高峰秀子演じるヒロインのキャラクターに及ぶ。ヒロインの「お島は、現在に生きていたらアパホテルの女社長のようになっていたのではないか」

（１００頁）という結論に着地する。十河が金沢で泊まったのはアパホテルだった。

伊勢神宮から津、さらに伊賀上野を回った時には忍者屋敷を訪れた。当然、忍者映画の回想が始まる。十河の小学生時代、一九六〇年代に忍者ブームがあった。少年漫画誌に手裏剣が付録として付いたほどだ。横山光輝の『伊賀の影丸』の連載が始まったのもこの頃で、白土三平の影響もあっただろう。大島渚が白土の原作漫画だけを使って『忍者武芸帳』を撮ったのもこの時期だ。子供の遊びがチャンバラごっこから忍者ごっこに代わりつつあった。そして取り上げたのが山本薩夫の『忍びの者』（一九六二年）である。この作品を見た時、私も山本薩夫がなぜこのような映画を撮ったのか疑問に思った。原作者の村山知義がプロレタリア作家、劇作家だったのを忘れていた。しかも原作は日本共産党の機関紙『赤旗』に連載されていた。

「赤旗」に連載された小説を、日本共産党御用達である山本薩夫監督が撮るのは何の不思議もないではないか。しかし、主演の市川雷蔵は、そんなことは関係なかったのだろうな。（２４６頁）

例えば本からの連想。小栗康平の『じっとしている唄』という本を読んで、十河は『泥の河』（一九八一年）について回想する。これも幸運なことに監督にインタビューすることができた。

「泥の河」に心酔状態だった僕は、東映セントラルの担当者に小栗監督を紹介されるとすぐに、「泣いてしまいました」と口にした。その途端、小栗監督は少しムッとした様子（そのときの僕にはそんな風に見えた）で、「泣かせるように作ったわけじゃないけどね」とにべもなく言った。（１０６頁）

この監督は観客がどう受け取ろうが、自分の伝えたいことを正しく受け止めない人は認めないという立場をとるのだな、と思った。やたら人当たりの良い監督よりましだが、自分を絶対視する監督も嫌だなと思った。十河は小栗作品を純文学として捉える。

コマーシャリズムは、小栗監督とは最も遠いところにある。商業主義に屈することを潔しとしない人ではないだろうか。観客はもちろん多い方がいいと思っているだろうが、だからといって自分の作家としての考えを妥協することはない。そんな風な印象を、僕は持った。（１０７頁）

といっても、私は『眠る男』も『埋もれ木』も『FOUJITA』もさっぱり面白くなかった。十河のように「確かに商業的には成功しにくい作品を撮る監督だが、内容的にはどれも素晴らしい」（１０５頁）とは思えない。

また、故郷の高松市立図書館で新刊として入った『姫田眞左久のパン棒人生』を読んだのをきっかけに『月刊イメージフォーラム』と十河の勤め先とのいざこざに話が及ぶ。十河の雑誌の編集者の一人が、競合するこの新創刊雑誌にコラムを書くことが発表されたからだ。そこから姫田と深くかかわった今村昌平の作品を思い浮かべ、『赤い殺意』の春川ますみと『かぶりつき人生』の殿岡ハツ江との処遇の違いに話が進む。さらに、神代辰巳の『櫛の火』に関して姫田が書いている部分を読み十河は愕然とする。併映作の『雨のアムステルダム』が二時間を越えた作品だったので、完成していた『櫛の火』に二十分のカットが命ぜられたのだ。だからストーリーが分かりにくくなった。

以上挙げたのは本書のごく一部である。十河の生活はどこをつついても映画が噴き出してくる。それだけ長年にわたり豊かに映画を吸収摂取し血肉としてきたのだ。

難を言えば、前述したように粗筋解説が多い。その他、原作者や脚本家がいるにもかかわらず、その映画のテーマを監督一人に背負わせる癖もある。

硫黄島二部作でイーストウッドが伝えたかったのは、「殺すな」ということではないのか。だから、イーストウッドは「グラン・トリノ」で、「国に命じられて兵士として人を殺さざるを得なかった人間が、殺されることを選択する個人的自由」を描いたのである。犯罪者たちを殺しまくった〈ダーティ・ハリー〉ことクリント・イーストウッドが、「暴力では何も解決しない」と主張しているのである。（113頁）

イーストウッドは『グラン・トリノ』の監督・主演にすぎない。この映画の原案者や脚本家は別にいる。そのような主張は原案、脚本ですでに色濃く描かれているはずだ。ちなみに、ダーティハリー・シリーズで彼が監督したのは一作品だけである。基本的に俳優として演技しただけだ。作品の主張が監督だけによるとするのには無理がある。

もう一つの弱点は猫である。実生活で十河は猫を飼い始めた。故郷の高松にも猫がいる。どちらの猫とも接するのを大いに楽しむ。だから、猫映画に点数が甘い。例えば川村元気原作の映画化『世界から猫が消えたなら』（二〇一六年、永井聡監督）。私は原作も映画もつまらなかったが、「これはひとつの寓話（あるいは説教話）であり、リアリティを求める物語ではない」（317頁）と弁護しつつ、「猫と映画がこの世界から消えてしまったら、僕はきっと生きていけないだろう」（319頁）と、猫に映画と同等の価値を置く。

なお本書のタイトルはミステリー小説で使われた台詞、「タフでなくては生きていけない。やさしくなくては、生きている資格はない」（生島治郎訳）から取っている。ミステリー・ファンの間では常識なのかもしれないが、この翻訳には賛否両論がある。

（しげまさ・たかふみ）

地デジ以前の混乱

一六対九テレビと映画の画面サイズ

内山一樹

本誌四六号（一七年一一月）の「ビスタ・サイズの誤解」以来、「スタンダード・サイズの悲劇」（四七号＝一八年三月）、「スコープ・サイズの問題／二・三五対一は三五ミリ映画の最大のサイズでなければならない」（四九号＝一八年一一月）、「ワイドスクリーンをテレビ画面に収める」（五一号＝一九年七月）、と映画のスクリーンサイズ及びテレビ（ビデオ）の画面サイズの問題について述べて来たが、今回は、世界的な流れの中で日本のテレビ放送もＨＤの地上波デジタル（地デジ）に完全移行した二〇一一年七月以前の約一〇年、一六対九と四対三が混在していた時代のテレビ画面と映画のスクリーンサイズ、そして両者に関わるパッケージ・ソフトについて語りたい。

テレビの画面サイズ

映画の誕生日は、フランスのリュミエール兄弟がスクリーンに映した動くフィルム映像を観覧料を取って観客に見せた一八九五年一二月二八日とされている。一方、テレビは映画以上に各国の色々な発明が融合して生まれたのでその誕生日は明確でなく、アメリカのフィロ・ファンズワースが全電子式テレビの開発に成功した一九二七年あたりが適当かと思われる（「イ」の字で有名な一九二六年の高柳健次郎のテレビは機械式と電子式の折衷)。イギリスでの試験放送(一九二九年)、ドイツでの試験放送(一九三五年)を経て、一九三九年にアメリカで世界初の民間テレビ放送が始まった。

現在のテレビの画面は液晶や有機ELだが、地デジ以前、テレビの画面はブラウン管だった。ブラウン管は英語で言うとCathode Ray Tube、略してCRT。陰極線管である。

真空管の陰極(カソードCathode)を熱すると熱電子が発生することを利用してブラウン管は、陰極から発射された電子ビームを、蛍光物質の塗布された陽極の表示面に当てて光らせる。この小さな光の点が集まって映像を形成するのがそもそものテレビの原理だ(人はその映像を反対側から見る)。

ブラウン管は本来、真空管だから、画像を映す陽極の表示面は球面の一部で、最初は縦も横もない円だった。しかし人間の生理として画像は円形よりも矩形の方がしっくり来るので、テレビ画面は、円に一番近い正数比の矩形で、先輩の映画の画面比と同じ四対三(=一・三三対一)に近づいて行った(テレビの画面の大きさを表す場合、縦横ではなく、対角線の長さで表すのは、テレビの画面が円だったからだ)。

矩形に近づくと言っても、ブラウン管を完全に矩形にすることは技術的に難しく、見た目、完全に矩形のブラウン管が登場するのは一九八〇年代になってからだ。一九八三年に東芝が発売したテレビ、COREフラットスクエア・シリーズは、CMで「世界に先駆けて」「コーナーは直角、画面はフラット」と言っていたから、恐らくこれが最初だろう。

次世代テレビ=HD

地デジ以後のテレビは走査線が一一二五本のHDになった。HDはHigh Definition(高解像度)の略。HDに対してそれまでのテレビ(日本やアメリカの方式NTSCでは走査線は五二五本)は、SD(Standard Definition、標準解像度)と呼ばれるようになった。SDテレビの画面比は四対三だったが、HDの画面比は一六対九である。この一六対九はどうやって決まったのだろうか。

一九六四年の東京オリンピックの後、NHK放送技術研究所は次世代テレビの研究を開始し、一九七七年に走査線が一一二五本、画面比が五対三(=一・六七対一)という規格を発表した。NHKは自分たちの規格を国際規格にしようとＣＣＩＲ（Comité Consultantif Internationale pur la Radio、国際無線通信諮問委員会）に提案したりするが、欧米各国もＨＤの次世代テレビを研究していたのでＮＨＫの規格がそのまま承認されることはなかった。そんな中で、ＳＭＰＴＥ（Society of Motion Picture and Television Engineers、米国映画テレビ技術者協会）のＨＤに関するワーキング・グループの一員、カーンズ・Ｈ・パワーズ博士が一九八四年に画面比一六対九（＝一・七八対一）を提唱した。これが広く受け入れられ、一九九〇年、ＨＤテレビの規格が国際的にまとまった時にＨＤの画面比として正式に承認された。

それより先、ＮＨＫの衛星放送（ＢＳ）は一九八九年六月一日から第一放送、第二放送の本放送と同時に、第二放送の一部を使ってＨＤテレビ、ハイビジョンの実験放送を開始する（ＮＨＫは一九八五年に決定した「ハイビジョン」という名称を一般名称にしたかったようだが、これも各国に受け入れられることはなく、「ハイビジョン」は日本のＨＤテレビの〝愛称〟にとどまることになった）。

この実験放送は九一年一一月二四日に終了し、翌二五日からチャンネルを独立させ放送時間を拡大して各放送局やＡＶメーカーが制作したＨＤ番組を放送する試験放送が開始された。

いくらＨＤで放送しても一般家庭にそれを受信する受像機がなければＨＤ放送は成り立たない。そこで一九九一年に業界初（ということは世界初？）のハイビジョンが受信できる、画面が一六対九の民生用テレビが日本ビクターから発売された（マルチハイビジョンAV-36W1）。

何十万円もするのに受信できるのが一日数時間しか放送しないＢＳのハイビジョンだけでは買い物として高すぎる、ということで、このテレビは通常の放送も受信できた（だから〝マルチ〟と付いている）。

ワイドテレビ

ＢＳハイビジョン受信用のハイビジョンテレビが世に出た翌年、ハイビジョンが受信できないのに画面は一六対九という〝ワイドテレビ〟が登場する。

九二年九月にビクターが発売した一六対九画面のテレビ（AV-28WX2）はＢＳは受信できるが、ハイビジョン・コンバーターが別売りなので、このままではＳＤしか映らない。ハイビジョンが受信できないことをワイドテレビの条件とするなら（受信できたらそれはハイビジョンテレビだ）、これが最初のワイドテレビだろう。

ワイドテレビは意外にもヒット商品となった。朝日新聞九五年七月二六日（夕刊）の佐藤和成氏による記事「映像前線」には「ワイドテレビが登場したのは一九九二年。その後ワイドテレビは、九三年度には四十万台だった出荷台数が、九四年度には百八十万台、そして今年度は四百万台に到達するのではないかと言われるほど急激な伸びを見せ、注目を集めている」とある。

ハイビジョンが受信できないのに画面が一六対九のワイドテレビは、VHD対レーザーディスク（LD）のビデオディスク戦争で負けたビクターにとって苦肉の策だったのではないか？　九一年には、セルビデオとLDにも四対三画面の上下を黒い帯にして横長のワイドスクリーン映画を横長のまま収めたレターボックスが増え、レターボックス映画をCMなしで大量に放映するBSの有料放送WOWOWも始まった。レターボックスを拡大して映せば一六対九画面を生かせるというのがビクターの目論見だったのではないだろうか。

後述するスクイーズ収録されたDVD（この時点でまだ世に出ていない）に対しては意味があったが、それ以外、ワイドテレビは、SDの四対三映像を不自然に拡大するか（画質は劣化する）左右に引き伸ばすかしなければ画面を埋められないという馬鹿げたしろものである。だがこのテレビは売れた。本物のワイドである高価なハイビジョンより安く手に入る、拡大や引き伸ばしによるワイド映像はユーザーに受け入れられた。

昔、筆者が在籍していたビデオソフト・メーカー（パイオニアLDC）のチェック・ルームには、一九九三年に発売されたビクターのハイビジョンテレビ（HV.32Z3）があった。純粋のワイドテレビではないが、このテレビでワイドテレビの画面モードについて見てみよう（ハイビジョンを受信した場合はテレビと同じサイズの映像なので画面サイズをいじる必要はない）。

リモコンの画面サイズのボタンを見ると、四対三として「レギュラー」、一六対九として「パノラマ」と「シネマ」がある。さらに蓋を開けるとそこにも小さく「画面サイズ」があり、このテレビの発売当時の人には恐らく謎だった「フル」というボタンがある。

「レギュラー」は、一六対九画面の中央にSDの四対三映像をそのまま映すモード。一六対九画面の左右に映像のない黒い帯が生じる。

「パノラマ」は、四対三映像の中央はそのままに左右部分だけを横に引き伸ばすモード。中央部分は正像なので見ていて違和感はなく、左右が引き伸ばされた歪像とは言え、映像は一六対九画面いっぱいとなっていて黒い帯はない。これはビクターが開発した新機能でワイドテレビの標準機能になった。左右に黒い帯を残したまま四対三映像を一六対九画面に映し続けているとテレビの画面には四対三の形が焼き付いてしまう（ここがスクリーンに映像を投影する映画と、画面自体が発光するテレビの違うところだ）。パノラマ・モードはこれを防止する意味もあった。

スタンダード・サイズ（四対三）の映画をパノラマ・モードで見ることは映画ファンには許し難いことだったが、四対三の焼き付けを防ぎ、左右に黒い帯の出ないこのモードは、普通のユーザーとメーカーにとっては好ましく、ワイドテレビの要とも言うべきものだった（一九九五年に大島渚監督を代表とする「映画問題対策協議会」は、ワイドテレビの画面を左右に引き伸ばす機能は著作権思想を軽視しているとして家電メーカーの加入する日本電化機械工業会に改善策を促す抗議をしたが、その後、改善策が講じられたとは聞かない）。

「シネマ」は「ズーム」「拡大」である。四対三映像を両端が一六対九の画面の左右に接するまで拡大する。ワイドスクリーンの映画を左右トリミングせず、四対三の画面の上下に黒い帯を入れる形で横長のまま収めたレターボックスの映像は、拡大することによって上下の黒い帯の部分が、スコープ・サイズなら少なくなり、ビスタ・サイズなら、大抵の場合、なくなる。もちろんＳＤの映像を拡大するのだから画質は劣化する。

そして最後に「フル」である。これは四対三の映像全体を左右に引き伸ばして一六対九画面いっぱいにするモードである。四対三の正像は左右に一・三三倍に伸ばすことによって上下につぶれた一六対九の歪像となる。この機能は、何のためのものかは、ＤＶＤが登場して明らかになる。

ＤＶＤの登場

ビデオカセットとＬＤに代わる第二世代のパッケージ・ソフトの媒体として一九九六年にＤＶＤが登場する。

当時の雑誌のＤＶＤ特集などで必ず書かれていたことだが、ＤＶＤは Digital Video Disc の略ではなく、

Digital Versatile Disc（Versatile＝多目的）の略である。多分、開発者たちも最初はデジタル・ビデオ・ディスクのつもりだったのだろうが、その後、ビデオ映像だけでなく、音楽やゲーム、色々なデータも記録できることになったので後付けで「ヴァーサタイル」などという言葉を持って来たのではないだろうか。

ＤＶＤがビデオカセット、ＬＤと交替するのは三、四年だったと思う。私が制作した最後のＬＤ「戦艦バウンティ（70ミリ映画大全）」の発売が一九九九年九月二四日で、最初のＤＶＤ「チャップリン・コレクションⅠ」（「小品集1」「小品集2」「キッド／一日の行楽」「巴里の女性」「サーカス」「黄金狂時代」）の発売が二〇〇〇年一月二五日だ（制作の作業は発売日の一か月前に終了している）。

ＤＶＤは、ビデオカセットやＬＤと同じ走査線五二五本のＳＤ映像を記録する媒体だが、映像の鮮明度を表す水平解像度は、ビデオカセット（ＶＨＳ）が二〇〇本、ＬＤが四〇〇本、ＤＶＤは五〇〇本である。

画質以上にＤＶＤには次のような、ビデオカセットやＬＤより便利で優れた機能があった。

①実効収録時間二四〇分（片面二層）、②字幕のＯＮ／ＯＦＦ可能、③音声と字幕を複数ストリーム収録可能（全体の容量によるのでストリーム数の制限はない）、④5・1チャンネル音声可能（ＬＤでもこれは可能だったが）、⑤チャプター複数系統可能、⑥メニュー、⑦一六対九映像のスクイーズ収録、⑧プログラム再生、⑨マルチアングル。

映像は高画質で音声は5・1チャンネル、三時間を越す映画でも、吹替版も字幕版も直径一二センチ（ＬＤは三〇センチ）の小さなディスク一枚で済んでしまうのだから、それ以前のメディアとすぐに交替するはずである。

画面サイズの面からもっとも注目すべき機能は、⑦のスクイーズ収録で、これはワイドテレビがあることを前提としていた。

ＤＶＤの映像収録方法

ＤＶＤに映画が収録される場合、次の三種類の方法がある。どれもテレシネという機械でフィルム映像をビデオ映像に変換する段階で行われる（作業自体もテレシネと呼ばれる）。1と2はビデオカセットやＬＤ用と同じだが3はＤＶＤならではのものだ。

1　四対三収録

スタンダード・サイズ（一・三七対一＝四対三）の映画を収録する場合は、SDの画面サイズと同じだから、何もせず、そのまま収録すればよい。DVDソフトのジャケット背面下部の仕様欄に表示されるマークは図①である。

2　レターボックス

ここまでで既に説明したが、四対三の画面の中に、それより横長のワイドスクリーン（ビスタ＝一・八五対一、一・六六対一、スコープ＝二・三五対一、二・三九対一）の映画の左右を削ることなく（削るにしてもわずか）、画面の上下に黒い帯を残して収める方法。黒い四角の中に横長の開口部のある郵便受けに似ているのでレターボックス Letterbox（郵便受け）と言う。マークは図②。「LB」は Letterbox の略。

3　一六対九収録（スクイーズ収録）

ワイドテレビを前提としたDVDならではの収録方法。フィルムのアナモフフィック・ワイドスクリーン（シネマスコープなど）のように、ワイドスクリーンの横長映像を左右を圧縮して、四対三の画面に縦長に収録する。このスクイーズ（squeeze＝圧縮）状態の四対三画面をワイドテレビが左右に引き伸ばすと一六対九画面の中で正像となる。マークは図③。マークの左側はワイドテレビでは一六対九の映像、右側は四対三テレビではレターボックスとなることを表している。

ここで重要になって来るのはDVDプレーヤーの設定である。

DVDプレーヤーは、接続するテレビ（モニターとも言う）に合わせて四対三出力か一六対九出力のどちらかを選択しなければならない。

四対三テレビに四対三出力、一六対九テレビに一六対九出力であれば何も問題はない。四対三テレビでは①は四対三で、②と③はレターボックスで映る（③は同じレターボックスでも元の画素数が多いので②より画質は良い）。

一六対九テレビでは①は左右に黒い帯のある状態で四対三映像が映る（サイドパネルと言う）図A。②は①の四対三のさらに上下に黒い帯のある状態で映る（これを額縁状態と呼ぶ。拡大モードで拡大すれば黒い帯はなくなるか、細くなるが画質は劣化する）図B。

③はテレビの画面モードを「フル」にすることで一六対九画面いっぱいにワイドスクリーン映像が映る（スコープは上下に黒帯、ビスタはぴったりにしてあることが多い

DVD のマーク

ワイドテレビ

DVD のジャケットに表示される収録映像のマーク

①「4：3」。4：3 の映像が収録されている。

②レターボックス」。4：3 の映像の上下に黒い帯が出る形で横長のワイドスクリーン映像が収録されている。

③「16：9（スクイーズ）」。16：9 の映像が左右を圧縮（スクイーズ）した形で収録されている。プレーヤーとテレビの設定が正しければ、16：9 テレビでは 16：9 映像、4：3 テレビではレターボックスになる。

　パイオニアＬＤＣでは①に「スタンダード」、②に「ビスタ」、又は「1.66 ビスタ」、③に「スコープ」というさらに丁寧な説明をマークの下に付けていた（テレビドラマなどビデオ撮影作品の場合は①には説明なし、②と③は「HD サイズ」とした）。

DVD 映像の 16 対 9 テレビでの映り方

A)「4:3」この図は B、C のワイドスクリーンのトリミング版の映像。実際はＤＶＤの登場後、４対３のトリミング版はなくなった。

B)「LB」この図はスコープ・サイズ。拡大モードにすれば左右の黒帯はなくなるが画質は劣化する。

C)「16:9|LB」この図はスコープ・サイズ。設定が正しければワイドテレビは 16 対 9 信号を感知して自動的にフルモードにする。

が、正確に一・六六なら左右に若干の黒帯、正確に一・八五なら上下に若干の黒帯が生じる）図C。ＤＶＤ登場以前には謎だったワイドテレビの「フル」という画面モードは縦長のスクイーズ映像を左右伸張してワイドスクリーンの正像にするものだったのだ（事前にワイドテレビとＤＶＤプレーヤーの開発者の間で話し合いがもたれていたということだろうか）。

　四対三テレビでワイドスクリーン映画はスタンダードより小さな映像になってしまうしかなかったが、スクイーズ収録と一六対九テレビによってワイドスクリーンはようやくその価値を取り戻した。縦長で収録することで上下の黒帯の部分は激減し、映像に使われる画素数が増え、四対三のレターボックスに比べて画質は格段に向上した（ＤＶＤなのにワイドスクリーン映画がスクイーズ収録でなくレターボックスで収録されているソフトは、ＤＶＤ用でない、以前のビデオカセットやＬＤ用のマスターを使っているダメなソフトである）。

混乱の時代を経て

ＤＶＤとワイドテレビは、地デジ以前、ＳＤ時代のワイドスクリーン映画のパッケージにとって恩恵だったが、四対三テレビと一六対九テレビが混在していたその一〇年余りは、混乱の時代でもあった。プレーヤーとモニターが正しく設定されない問題である。

プレーヤーの設定を一六対九出力にして四対三テレビに接続すると、スクイーズ収録の映像は縦長のまま映る。パイオニアＬＤＣに送られて来るユーザーハガキの中に「ＤＶＤは画面が縦長になるのでよくない」というものが何通かあったが、これは設定が間違っているからで、ユーザーにはプレーヤーの説明書をよく読んで頂きたかった。

一般ユーザーだけでなく、販売店の店頭ディスプレイでも設定間違いはよくあった。四対三モニターに縦長の映像、一六対九モニターにいっぱいだが上下につぶれた映像、レターボックスが拡大でなくパノラマで伸ばされた映像等々だ。間違った設定による間違った映像を渋谷のタワーレコードなどで店員に注意したこともあったが、店員もハードについては一般ユーザーと同じレベルなので、後日行っても正しい映像に直っていることはまずなかった。

ワイドテレビはブラウン管テレビの最後の姿と言ってよく、九〇年代半ばには液晶やプラズマの薄型テレビが普及し始める。画面サイズはもちろん一六対九だ。

二〇〇〇年一二月にＢＳデジタル、二〇〇三年一二月には従来のアナログ放送と並行して地デジ放送が始まる。地上波が従来のアナログ（ＳＤ）からデジタル（ＨＤ）に完全移行したのは二〇一一年七月二五日だが（同年三月一一日の東日本大震災の被害が大きかった岩手・宮城・福島の三県は二〇一二年三月三一日まで延期）。二〇〇三年から二〇一一年まで約八年の地デジ移行期間、日本のテレビは同じ番組を四対三（アナログ）と一六対九（デジタル）の二種類で放送していた。そのためテロップの文字情報や主要な被写体は全て四対三の枠内に収められていて、一六対九のデジタルで見ると不自然な状態だった。こういうことは恐らく忘れられてしまうと思うのでここに記しておく。

　パッケージ・メディアでは、HDを収録できるブルーレイ・ディスクが二〇〇二年に登場する。DVDは、先行するビデオカセットやLDより優れた点が多々あったのですぐにそれらと入れ替わったが、ブルーレイは、HDを収録できるという以外はDVDと大差なく、DVDと交替するまでにはなっていない（私が最初に制作したブルーレイは、ブルーレイ登場から六年も経った二〇〇八年一二月五日発売の「ターミネーター2／プレミアム・エディション」「シン・シティ」「イーオン・フラックス」である）。何よりブルーレイ・プレーヤーはDVDも再生することができ、優れた画質補正能力を持つ二一世紀の薄型テレビはDVDのSD映像もHD並にキレイにしてくれる。二〇二〇年一月現在、DVDのパッケージ・ソフトは健在で、旧作をDVDでしか出さないメーカーもあるくらいである。

★　★　★

二〇一一年の地デジ以後、四対三の放送はなくなり、映像を映すテレビの画面は全て一六対九型となったと言ってよく、プレーヤーの接続間違いによる間違った映像も過去のものとなった。

　現在の一六対九（＝一・七八対一）のテレビ画面と映画の画面サイズの関係は、スタンダード（一・三七）は左右黒帯のサイドパネル、ビスタ（一・八五、一・六六）はほぼぴったり、スコープ（二・三五、二・三九）は上下黒帯のレターボックス、という形に落ち着いている。

（うちやま・かずき）

＊先号52号の拙稿「武満徹の抒情的映画音楽十選」に間違いがあったので訂正します。P78・1段・後ろから3行目「詩人の瀧口修造らと結成した芸術集団『実験工房』」→「詩人の瀧口修造を精神的指導者として福島和夫や北代省三らが集まった芸術集団『実験工房』」。掲載後に「武満徹・音楽創造への旅」（立花隆）と「武満徹・ある作曲家の肖像」（小野光子）を読んで冷や汗びっしょりです。（内山）

脚本家・水木洋子の
XYZへの道⑥

世は、逆コース

奥薗守

一九五〇年、マッカーサーは年頭の辞で日本国憲法にふれ「相手側から仕掛けてきた攻撃に対する自己防衛の権利を否定したものではない」と述べる一方、吉田首相あての書簡で共産党中央委員会の公職追放を指令した。さらに、朝鮮戦争に対する虚偽の報道を理由に、共産党機関紙「アカハタ」の発行停止を指令した。

一方、軍国主義者として追放していた政官財界人の追放解除がはじまった。そして、日米安保保障条約にからんで〝戸締り論〟など再軍備問題が喧伝され、文相が教育に代わるものとして、国民実践綱領案を打ち出したことから「いつか来た道「逆コース」などの言葉も生まれた。

このころ、水木は下落合に住んでいた林芙美子を訪ねている。林邸には、雑誌記者が押し寄せていた。仕事に追われ、明け方寝たばかりという林であったが、水木の訪問にすぐ起きてきて水木を迎えた。

二人になった水木と林の話は、林が執筆中の『浮雲』になった。

「何か試験勉強に追い立てられてるようで、『浮雲』を書くのが嫌で嫌で仕方ないのよ。だから、どうしても後回しになっちゃうの。早く終わりにしたいわ」と言う林に、「そんなことおっしゃらないで、『浮雲』は続けてくださいよ」と水木は言う。

「だって、南方の資料を本箱の底からひっくり返さなければならないでしょう。それに、何の反響もないのよ」

「楽しみにしている読者もいると思うわ」

そして、話は『浮雲』の主人公、ゆき子にいく。

「いま、ゆき子のように、林さんに心から愛する男性が現れたらどうする?」

「ソバの一杯でも奢ってくれるかなァと思うわね。私の若いときは、引っ越し代のために男とひっついたりしたんですもの。愛していると言われると、シメシメと思うわ」

「林さんは、愛する人には尽くす方でしょう」

「背後から突き落としてやりたい、と思うことだってあるわよ。でも、私はひとりじゃ絶対いられない女だから」と言って、「どうせ何人、男を変えてみたところで同じなの」と、同棲して別れることを繰り返していた林は呟いた。

そして、二人はシュニッツラーの作品に共鳴する。

水木は「私はトルストイで覚えたような二度目の感動を得ることが出来たんです」と。

シュニッツラー(一八六二年~一九三一年)は、オーストリアの小説家、劇作家で医学をもとに心理描写に優れ、自然主義の長所もすすんで取り入れたのでユニークな作品を生み出した。小説では短編に優れたものが多く、長編では退役将校の娘が愛欲のために次第に転落し、ついに不良化した私生児であるわが子の手にかかって死ぬ、痛ましい女の生涯を描いた『テレーゼ』が最後の大作である。戯曲では『恋愛三昧』が代表作になっている。その中に登場する女性も、好きな男との恋が踏みにじられても男を恨むどころか、「あの方のお墓に連れていって下さい」と叫ぶ。つまり、男に尽くす女を描いている。

水木が『浮雲』のシナリオを書くのはこれから四年後のことで、『また逢う日まで』の後、沖縄地上戦での〝ひめゆり部隊〟の出発から、全滅するまでのシナリオを書き終えていた。大映で企画された『ひめゆりの塔』は、すでに本読みも終えていたのである。だが、アメリカの圧力で、会社はマル秘のハンを押して金庫の中に仕舞い込んだ。

水木と今井は雑誌「新女性」（一九五〇年一二月号）の〝一九五〇年さよなら特集〟でその不満を語りあっている。

水木　朝鮮戦争の影響だというんだけど、この作品は反戦ものとも違うんだけど……。

今井　何ていうかね、ほら、あっちの方から勧告文が来たでしょう。大映に……。

水木　タイプした書面で。

今井　うん。あれにさ、この作品のあたえる影響が微妙だから、慎重に考えなければならないので、許可するまで時間がかかるから、この際中止にしてはどうか……というんだったね。

水木　大映では諦めたらしいけど、シナリオの英訳は出来ているって話ね。

今井　いや、駄目だというので出さなかったらしい。

水木　プロデューサーの話では、出したけど読まないんだって。

今井　なるほど、その方が本当かも知れない。

水木　でも、いつかは返事が来るはずね。あの作品、私あきらめちゃいないのよ。やれるって言ってくれる人も沢山いるし……。

今井「沖縄の悲劇」と言えば、もう日本人なら誰でも知ってるけど。近頃、僕はある人に会うとね、あの最初の場面から話すんですよ。洞窟の中で、空爆のすんだ瞬間、ポッとローソクを灯す。その灯が暗闇の洞窟の中の教室から病舎へ……と、生徒の少女たちを探して歩く……という具合に筋を話していくと、みなフーン面白いな！　というんだ。

水木　あれは、純粋無垢な女学生が、祖国への愛情故に玉砕してしまった悲劇。誤れる指導者を信じきっていった善良な人々の悲劇。そういう狙いなんだから、ちっとも差し支えないはずだわ。

今井　水木さんがね、もう一回あの脚本に手を入れる約束だったが、出来たら今年で一番良い映画になったと思うね。

この『ひめゆりの塔』が陽の目を見るのは、この対談から二年後のことで、水木の第三作目はオリジナル・シナリオの『せきれいの曲』（監督・豊田四郎）である。

ストーリーは、戦前から戦後にかけて学校を追われた一人の女流声楽家が、戦時体制版の暴圧に抗しながら、どうにも曲げられない頑固な純真さを守り通す話である。

水木のシナリオは、リアリティを求めて必ずといっていいほど自分の体験を挿入している。『せきれいの曲』では、新婚旅行の宿で女性から夫に届いた手紙で、二人の仲が破綻したことである。ＮＨＫから放送された「雪っこ」や「同行二人」、さらに戯曲の「風光る」などには、疎開先での出来事が書き込まれている。

それはともあれ、水木は『女の一生』『また逢う日まで』『せきれいの曲』とつづいた一連の映画で、社会派というイメージを世間に与えた。

「キネマ旬報」での田中澄江との対談で、司会者の滋野辰彦が水木に「ところで水木さんの書くものは、かなりイデオロギーのはっきりしたものですね。すくなくともいまの映画のなかでは……」と聞いている。これに対して水木は「そうですか。結局、自分の目で見て、これが言いたいということは、傍から見れば偏向的に見えるのかどうか。そういう結果になっているかも知れませんけど、自分としては、自分の生活保証、ものの見方から、言いたいことを言ってみたいということなんですね。もっとも『女の一生』のラストは脚本とは違います」と発言している。

水木の大切にしていることは、映画を娯楽と位置づけていることである。観る人は一日の疲れを癒す時間をつぶすという気持ちがある。ストレートに観客に考えさせたりすると重苦しくなる。従って、なんとなく娯楽作品を観たけれども、終わったあとで何か言ってるんだろうな、というものを目指していたのである。

映画の評価は、〈暗い戦争の重圧が豊田演出でどぎつく表現される。もっと迫力があるはずなのに、テンポがうまく合わない。『また逢う日まで』と比べると、どうもピッタリ来ない。轟は女学校もやめてしまい、一体どうして暮らしているのか映画では分からないうちに、有馬稲子が山村の『せきれいの曲』を音楽学校の卒業式で歌っている画面になってくる。戦争中および戦後の混乱のなかで、母娘は一体どうして生きていたのか……か観終わって気になるのだが、その疑問には映画は全く答えてくれない。じれったい〉（朝日新聞）と。

滋野辰彦は、登場人物の感情の表現が不足していると苦言を呈しながらも〈この映画に表れている作者たちの真面目な努力は、最近の精神的に低俗な映画の中では、たしかに観客の心を打つ部分がある〉（「キネマ旬報」一九五一年下旬号）と評している。

水木は映画の仕事と並行して、一九五一年にラジオでは「オイゲニヤ」（原作・ケラー）や「安宅家の人々」（原作・吉屋信子）、「新かぐや姫」などを放送した。

「安宅家の人々」は、毎日新聞に連載された吉屋信子の小説である。この脚色を開局早々の民間放送、新日本放送から依頼された。しかも、二三回の連続もので日曜の夜七時半から放送するという目新しい試みで、演出も水木が担当することになった。出演者は、永井百合子、高杉早苗、村瀬幸子、清水元という顔ぶれである。

筋は精神薄弱者の夫を護りながら養豚事業の経営に、男勝りの働きをする女主人、財産に野心を抱く異母弟、その妻である純情な義妹を主な登場人物にしたメロドラマである。ところが、この作品はハイブロウな作品で、スポンサーが中途で降りるという一幕があった。

私たちスタッフは、このため放送を切り上げようとする局側に、無報酬で続行することを提案した。それは誰一人ためらう者もなく、この仕事に自信をもっていた。局の方では、みんなの意欲に動かされ、予定通り最後まで仕事を続け、スポンサーのない自主作品として放送を終わった。局も良心的だったし、出演者も裏方スタッフも誰一人不満を言う者がなかったのは、不思議なくらいであった。（「吉屋信子全集月報三」一九七五年四月）

さらに、大映から映画化の話が持ち込まれて、監督は久松静児に決まった。出演者は精神薄弱者に船越英二。男勝りの働きをする女主人に田中絹代、その他、三橋達也、乙羽信子、三条美紀などである。

水木の書いたシナリオについては、監督に勝手に直させない姿勢が浸透していたのか、撮影後に久松監督は、丁重な手紙を送っている。

貴女には大変申し訳ないのですが二、三改訂しました点お詫びしなければなりません。吉屋さんからの希望もあったのですが、霊媒者の巫女の場面を入れましたこと、その前後が少し変わり、国子が譲二の借金取りに訪問されたこと、ストライキがトウ突なので、譲二が若い者をけしかける場面など、大きなとこは大体そんなとこですが事前に御了解願わなかった点、大変申し訳ありません。（略）全く小生の責任でしたことで、この点幾重にもお詫び申し上げます。

試写前に貴女のところに伺うつもりでおりましたが、全くのびてしまって起き上がる気力もありませんので失礼乍らとりあえず手紙で御勘弁願います。

ともあれ、封切られた映画は好評だった。

読売新聞は、〈筋としてはさして新鮮なものはないが（原作吉屋信子）水木洋子の脚色が良く、登場人物の性格がそれぞれ巧みに描きわけられているし、久松静児の演出も「泥にまみれて」以来の好調でメロドラマA級の出来である〉と。

朝日新聞は〈さわやかな味、水木洋子の脚本のうまさが認められる〉と評し、東京新聞も〈淡々たる良さ〉と、見出しをつけていた。

原作者の吉屋信子は〈貴女に感謝しています。「安宅家の人々」は、幸せな作品でした〉と、書いた葉書を水木に送った。それは、〈水木洋子の脚色によって、どちらかといえば甘っちょろい原作に筋金が一本通ったという感が深い〉と書いた大木豊の評を認めているからだろう。

このころ、水木は新東宝映画『おかあさん』のシナリオも執筆していた。

『おかあさん』は新東宝のプロデューサー永島一朗が「母を主題にした綴り方」から選んだ「全国児童綴り方集」を読んで映画製作を思いついたのである。永島と水木は、築地のプロレタリア演劇研究所から一緒で、左翼劇場の研究生になった同期生で旧知の仲だった。監督は成瀬巳喜男とすでに決まっていた。

「成瀬監督は、前の方々の亀井文夫、今井正と違って、カンで決める人ですから理論は苦手。ゆったりとしながら、こちらがテーマに悩んでいると、『まあやっているうちに何か出るさ』という具合。『ファースト・シーンなんてどこからでもいいよ』なんて言われると、こちらも大変気楽になって固くならずにスラスラ筆が運ぶ。気負い立つこともなく、書きたいだけさらさらと、箱書きなしで打ち合わせなく書いて渡したのが『おかあさん』です」(「キネマ旬報」一九六四年四月増刊号)と、水木は言う。

児童の綴り方は、空襲、外地引き揚げなど戦争で苦労を重ねた母親への思いをつづったものである。水木のお母さんのイメージは、よく働き、いつもそばにいてほしいお母さんである。思い浮かんだのは、子供のころお守りから夜寝るときまでお伽噺を聞かせてくれたおとよさんであった。おとよさんは、後にクリーニング店に嫁いで、何人かの子供を育てが突如未亡人になり、長男も失って今は次男と洗い場で働いている。そのおとよさんをモデルにした。

書き上げたシナリオは、永島プロデューサーも同行して新東宝で成瀬監督に渡した。成瀬がシナリオを読み終わったあと、口にしたのが「すぐ印刷に回せ」という言葉だった。永島は「いいんですか」と念を押す。これまでシナリオを読んで、成瀬が「すぐ印刷に回せ」と言ったことはなかったからだ。

永島は、水木に言う。「昔の成瀬さんは『ヘソマガリ』とか『人が右といえば左という難しい人』という評判だったらしいよ。『昔はヤルセナキオといわれて、グチっぽく閉口した』という人もいたんだから。大概の者は、おろおろと口もきけないのが普通だったそうだ」と。

このあと、成瀬は水木にヘソマガリの片りんを見せる。水木は、ラスト・シーンを母親が子供と相撲をとる動きのあるシーンにしたかったので、そこを直して成瀬の許に持参した。ところが、不機嫌な顔で「注文通りにできるかどうか、やってみなければ分かりませんよ。まあ、できたらやってみるが……」と素っ気ない返事だった。水木にすれば、「この方がいいね」と、喜んで貰えると思ったのだが、そこがヘソ曲がりと称される所以で、いいと思っても「良くなったね」とは言わないのである。

映画『おかあさん』が封切られて、突然、おとよさんが訪ねてきた。水木は断りもなく、モデルに使われたことに対する抗議ではないかと思った。ところが、「死んだ父ちゃんから息子までそっくりの顔が出てくるんで、ビックリして……」と、お礼に来たのだ。しかも近所では評判になり、親切にポスターやプログラムまで届けてくれる人まで現れたという。

各紙誌の批評は〈良くも悪くも日本映画というものの特殊性をよく出した、いわば随筆的映画で、このスタイルとして成功している〉（週刊朝日「週刊試写室」）。

〈下手に濃厚な味がないだけに、原料の吟味や仕上げが難しいのだが、その点大成功、三島雅夫、香川京子、加東大介あたりが醤油の役どころでこのお新香まきの身上をひときわ引き立てている。Aクラスの下〉（週刊読売「映画食品店」）。

〈子供の日記を土台にして、ナラタージュを加味した脚本もよく書けているし、成瀬の演出も「めし」と優劣判じ難く成功である〉（サンデー毎日「スクリーン欄」）。

〈母と子の情愛が脚本のよさ、演出の腕と相まって切々と胸に迫る。ほのかなユーモアも適度に織りなされている。まず、本年度ベスト・テンの候補作だ〉（東京新聞）。

娘役を演じた香川京子は「脚本がすばらしかった。暗くなりがちな内容なのに、映画には全然暗さはない。一家は貧乏だけど、負けない。世の中もまだ貧しかった。妹がもらわれていくとこなんか、つらいんですけど、それを乗り越えて前向きでしょ。日本のお母さんなんて強いな、素晴らしいなって思いました。大好きな作品です」と、語った。

田中澄江は、「映画『おかあさん』は、水木さんらしい。あれは水木さんよ」という。これに対して、水木は「私のごく一部よ。全部丸出しにしたものを書きたいわね」と。このとき言った、「全部丸出しにしたもの——」が三年後に書いた「浮雲」である。

『おかあさん』はパリでも上映された。ユマニテ紙は〈日本の最も大衆的家庭生活を徒に劇化することなく淡々と描き、敗戦の厳しい現実の中から人間性を発見し強調している点は優秀なイタリア映画に決して劣らない〉と表紙、フィガロ紙は〈登場人物はすべて地味な性格のうちに犯し難い気高さが自然にしみ出ている。これはサムライを主題とした映画よりこのましい〉と——。

（おくその・まもる）

松竹いまむかし

詩人の眼が撮影所を見る

宇佐美晃

詩人・岩佐東一郎の随筆集『くりくり坊主』（書物展望社　昭和16年）に「撮影所ぶらつ記」というルポがある。彼は子供のころからの活動ファンで、浅草に行った帰りに「隅田川の一銭蒸気の窓から、はるか温室の豪華版みたいな日活向島のグラスステーヂを眺めては、あゝ、あの中には乃木大将の山本嘉一や、浪子の衣笠貞之助や、間貫一の藤野秀夫がゐるんだな、一ぺんでいゝから這入つてみたいなと憧憬れたものであつた」そうだ。

　中学生のときファンの団体の一人として、出来たばかりの松竹キネマ・蒲田撮影所に見学に行ったという。倉庫みたいだな、が正直な印象だった。ちょうど勝見庸太郎主演『トランク』の撮影中で、ヘンリー小谷監督が鈴木歌子を演出していた。駅の待合室のセットが組まれており、彼女がもじもじしてトイレに行くところを何度もやり直させていた。それをみて自分も尿意を催したとは、いかにもコドモらしくて微笑ましい。ヘンリーのアメリカ訛りがキツくて日本語が不明瞭なのが悪いのでは、と少年は考える。見学者の為の模擬撮影があり、新人・押本映治兄弟が格闘を演じた。真冬のこととて薄氷が張った池に取っ組み合ったまま落ち、引き揚げられた二人は唇の色も変わって震えていた…そして帰宅した少年もまた発熱したのだった。さすが詩人だけあって感情移入しやすいんですな。

　オトナになった岩佐少年は映画雑誌の臨時記者として大船撮影所を訪問する。駅の改札を三宅邦子が通ったので後をつける。ふだん俳優たちが、どんなコースで撮影所へ向かうのかを知りたいから。正門前の道路に出ると右にアメリカ屋なる洋服屋、左にやきとり突貫。それぞれアメリカ小僧と突貫小僧の家である（命名の由来が分るネ）。ステージの模様などは大抵の訪問記と変わらないので紹介する意味はないだろう。火事のシーンは、付設された野球場に大きなホリゾントを立てて、というくらいか。見かけた役者は夏川大二郎、日守新一、徳大寺伸、吉川満子、上山草人、阪本武。監督では清水宏。

　本書には「映画『土』を見る」も収められていて、これがまた非業界人らしい視点が嬉しい一篇。「爽やかな田園映画」「コメの有難さを教えられる」と絶賛してるんだが…でも、なにか物足りない感が拭えない、なぜだろう…彼は気づく。肥料をやるシーンが無いのだ！　自分のような都会人でさえ、遠足、ピクニック、ハイキングのとき必ず見かける臭いやつだ。そりゃ〝爽やか〟な印象になるよ。

　本篇には、もう一つの功徳が。撮影に使用したネガフィルムが「事変下最後の舶来フィルム」なので、場面が綺麗だと証言しているところ。画面の美しさの土台は、フィルムそのものの質にもあるのです。

（うさみ・あきら）

東映大部屋役者の回想

一寸の虫III　梅宮辰夫追悼

山麟vs鶴田　東撮決斗篇

五野上力

梅宮辰夫の腹突き剣法？

　梅辰ちゃんが出た或るセミ？時代劇のやくざ映画で、殺陣回りの場面を演った時の話だ。監督は京撮からやって来た監督だったように思うが定かではない。覚えているのは殺陣師も東撮の日尾孝司じゃなく、これも監督同様京撮からやって来ていた。西と東、同じ東映だが、どっち共互いに良くは知らないので恰も京都弁と関東弁の斗い？みたいな雰囲気だったのを覚えている。京撮の殺陣師は自慢たっぷりの顔をして、斯ういうのはお前達の拳友会より俺の剣友会の方が上級だとばかり、完全に東撮側を見下ろした眼付きで矢鱈やゝこしい術を押しつけて来たりした。京撮は言わずもがなだが、基本的に時代劇の殺陣だ。時代劇紛いの術と関東やくざの無手勝流？めいた術の混合でちゃんと呑み込めない儘半ば直感的な感覚で演り合ったが、これは普通の生活演技の直感力では無いから何にもならない。

　カット毎に何とか演り合っている中で遂には手順がズレて、俺は辰ちゃんの剣先をマトモに腹部に喰らった。昔の呼び名で竹光とは言え下手すりゃ怪我はする。まして近年は刃は立てないものの真剣そっくりのジュラルミン製の物かステンレス製の刀身だ。何カットか撮りが一段落して、衣裳のダボシャツを捲って見ると、辰ちゃんの剣先で突かれた鳩尾は少し痛みが来て赤く腫れ上がっていた。辰ちゃんは汗で光ったメイキャップを直してい

五野上力

てメイク係が面倒を見ている。何人かの掛かり手の仲間も誰も気付いてはいない。俺は黙っていた。只、京撮の殺陣師は気付いていたに違いないが、こっちを見ては知らぬ振りをしている。無名俳優のこっちもその顔を見返し乍ら知らぬ顔の半兵衛を極め込んでやった。そっちが上級だろうと偉かろうと、東撮者だって簡単に音を上げる玉じゃねえぞバカヤロー！　そう心ン中でセセラ笑ってやったサ。

東撮最後のスター「梅辰ちゃん」

東映東撮には幾多の他所属俳優群がその門をくぐった。その門を己れの生きる道、その現場とした生粋の東撮育ち、東撮が最も似合った男、それが「梅辰ちゃん」梅宮辰夫だ。常に人間ぽかった彼、ダンディにして飾り気無しの「稀有なスター」、無名俳優の俺が受けた不変的印象だ。確か尊父は医師が生業で、終戦時（太平洋戦争）外地からの引き揚げ家族だったと聴く。この外地引き揚げ派には作家五木寛之、なかにし礼（作詞家・作家）等の著名人が居るが、何か他とは異なる細胞を宿しているかの様な、昔は大陸育ちの気質の何々と云々された様な心身の雰囲気、気風を持つ、梅宮辰夫にも何かそんな気風を感じた。何やら神秘性めいたオーラと別種のもの、気質の優しさ、大きさ、とでも言いたい構えてない天衣無縫さ、自然性がファンを魅き寄せ、より親近感を与えた所以だ。

それは単にファンだけに限らず周囲の誰もが、その時々の感覚で幾通りもの呼び方で極めて気軽に呼べた所にも表われている。この呼び方に就いては本誌43号に書いたので割愛するが（ここには娘アンナへの親バカぶりも記したのでよろしければ御一読下さい）、撮影所の連中なら兎も角、ファンたちに対してさえ、そのどれにも厭な顔はしなかったし、あっさり受け入れて寧ろ喜んで居た。普通の感覚なら、ファンは自分の、好きで尊敬もするスターに対してここまでは出来ない。辰ちゃんのファンたちは皆、スクリーンの中の梅宮辰夫と「辰ちゃん漬け」の漬け物とが同列に在るのだ。

――訃報を聴いたのは、NHKのラジオ番組「ラジオ深夜便」という深夜放送の中だった。他の或る原稿の推敲をしながら、途中で切っておいたラジオのスイッチをまた入れた正にその瞬間「……また一人、昭和の名優が亡くなりました。梅宮辰夫さん81歳です……」と告げるアナウンサーの声。「！　梅ちゃんが?!」思わずペンをとり落としたが、何故か驚きの後に来たのは、瞼の裏に蘇った梅宮辰夫と大原麗子の共演作、東撮『㊙トルコ風呂』の現場だった（この作品は俺が大原麗子のセリフの方言〈東北弁〉指導を担当）。兎角、映画業界で有り勝ちな男と女の何だかんだなど超越して、いつも「兄ちゃん、兄ちゃん」とまるで実の兄妹みたいに慕っていた麗子と「れいこ、れいこ」と妹扱いしていた辰ちゃん。……辰ちゃん、どうか、あちらでも、また二人の、映画を創って下さい。

冥福合掌

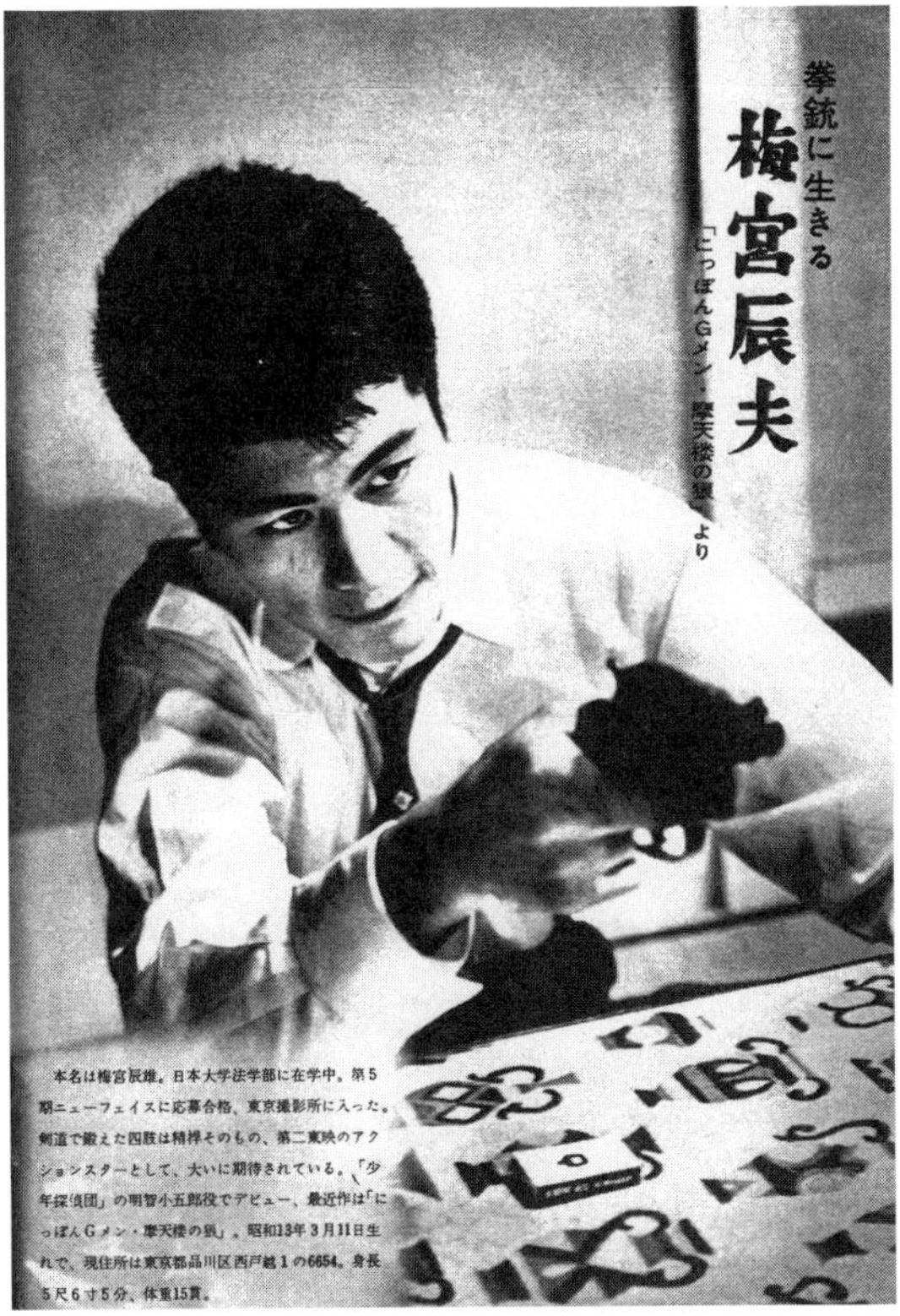
拳銃に生きる
梅宮辰夫
「にっぽんGメン・摩天楼の狼」より
本名は梅宮辰雄。日本大学法学部に在学中。第5期ニューフェイスに応募合格、東京撮影所に入った。剣道で鍛えた四肢は精悍そのもの、第二東映のアクションスターとして、大いに期待されている。「少年探偵団」の明智小五郎役でデビュー、最近作は「にっぽんGメン・摩天楼の狼」。昭和13年3月11日生れで、現住所は東京都品川区西戸越1の6654。身長5尺6寸5分、体重15貫。
昭和 35 年、デビュー当時の梅宮辰夫

八百万円と四万円。これは何？

俺は基本的に金銭の話は苦手だ。だが世間は矢張り万事金次第で、例えば極端だが純愛だって金で買える御時世だ。所で、そんなお前の値段は？　と問われる前に敢えて其処ン所を語ろう。

本篇（劇場映画）作品は別として、俺はTV映画（テレビ局放映）では急遽出演という事態が間間有った。先取り的に一言、その様な現場で良く出会ったのが売れ筋の実力俳優・山本清（『誘拐報道』等で共演）だ。お互い気が合ったから「リキさん、全く初見のセリフで良く演れるなァ」と本気で感心されたりもした。――状況は斯うだ。既にクランク・インしている作品の真最中の撮影当日に呼ばれてその現場に急行し、いきなりカメラの前に立つのだ。「ぶっつけ

平成 10 年分 報酬、料金、契約金及び賞金の支払調書（芸能者用）

支払を受ける者	住所又は居所	東京都東久留米市ひばりヶ丘団地57-203	所属	東撮
	氏名又は名称	五野上　力　殿	芸名	

摘要	題名	支払金額	源泉徴収税額
監督、助監督、撮影、録音、照明、作曲、演奏、選曲、効果、編集、記録、俳優、技斗、美術、美粧、脚本（　　）	はぐれ刑事純情派(XI) 258	40000	4000

（摘要）(1) 上記支払金額のうち未払金額　円　(2) マネージャー　住所　氏名

差引手取額 36000

消費税

支払者	住所又は所在地	東京都練馬区東大泉２丁目34番５号
	氏名又は名称	株式会社 東映テレビプロダクション

（本人交付用）　①

御注意　① 本票は源泉徴収票となりますから大切に保存して下さい。
② 再発行は致しませんので御諒承下さい。

10.9.14

無名役者、或る日のギャラ明細

演技《シバイ》」。自分ではそう称《よ》んだが、これは謂うところの「ぶっつけ本番」とは訳が違う。ぶっつけ本番は撮る方も撮られる方も定石に則った通常の現場に於ての方策だから、余程の事が無い限りどっち側にも「責」は無い。だが、「ぶっつけ演技」は「責」があればそれは百パーセント俳優側に来るのだ。上手く演って当り前、不足があれば「こんなシバイくらいちゃんとやれや」となる。「こんなシバイくらい？」、オイ！　一寸待てや、鶴さん（鶴田浩二）の一言名言じゃないが、シバイには何だって「寸法」ってもんが有るんだ。これを正当に理解出来ない輩は頼むから現場の仕事をしないでくれ、と。これは此処らでストップ、次の一件で〆にしたい。

　これは本篇サイド製作のTV映画、野田幸男の「シンジケートの女」の後か、その頃かは失念したが、その時も東映テレビの製作部に呼ばれて行くと、番組担当の製作主任・楢場《ならば》が、演技者台本が切れたのでこれを見てくれと製作部用の台本を出して見せた。だがその場で全篇を読む時間は無い。午後一番手（13時開始）の現場が待っていると言うのだ。仕方なく楢場が示した場面《シーン》だけ抜き書きして大泉学園から電車で向かった。成城か何処かだ。「またまた便利屋か？おい」。独り言《ご》ち乍ら非日常の専門用語があるセリフを暗記した。現場は或る実在する科学研究所だった。先着待機しているロケバスの車内で、積み込んだ各役の衣裳の他から衣裳を見立て、メイク係の手を借りず（従来通り）顔を作り、構内で待つ事10分程して、午前の現場から監督と連なって現われたのは田村高廣だった。俺が丁重に頭を下げて挨拶すると静かに目礼を返して来た。監督は永野靖忠…残念だが定かではない。

　俺の役どころは、或る重大犯罪事件に関わる証言を行う科学研究所技官だ。決して気張る事のない穏やかな田村の刑事演技に、俺は、ふと、かつて別の番組で、警視庁ロケで会った実際の現役刑事を思い出した。成る程、斯ういうデカって居るよナ。そう、らしくない、沈着な。
――本番はテーク・ワンでOK。

　現場からの帰路、電車を待ち乍ら俺は楢場の台本で垣間見た配役欄に記入されている数字を思った。それは紛れもなく、各出演者のギャラの金額（値段）に違いなかった。その中の最高額800万円の数字。俺が数カ月後に役手《ヤクテ》（後役《あとやく》扱い）として受け取ったのは4万円也。正規のキャスティングも無く、台本を受け取って読む事も無く、衣裳小道具合わせも無く、無い無い尽くしの、只々己の直感力に頼るしか無い「ぶっつけ演技《シバイ》」の現場の、冒頭で言ったこれが差し当っての俺の値段だ。

　今にして想えば、それよりも何よりも、往昔の名作『破れ太鼓』（監督・木下恵介）の阪東妻三郎の豪放磊落振りを想起しつつ、物静かで渋い阪妻2世・田村高廣は、一介の無名俳優との現場をどの様に感じ取ったのか、知るべくも無い。作品のタイトルも亦、忘却の彼方だ。

愛と哀しみの「ワンショット」鎮魂譜

その一

　その日は、東撮第2（野外O《オープン》・S《セット》）で高倉健主演映画の立ち回り（殺陣）の夜間撮影があり、俺も二番手の予定で待機中だったが、第2俳優館の2階から、もうそろそろ館内放送が掛かるかナと、ふと窓外に眼をやった。と、その時、本館の第1俳優館から出て来て小走りにステージ通りを駆けて行く一人の少し小柄な白いブラウス姿の女が目に入った。まるで白い蝶が闇の中に舞う様な…江利チエミだった――野外O・Sは、立ち回りの真最中、主役・高倉健一人に十人余の悪役連中が上げる怒声の渦になっていた。その中で高倉健の迫力あるドス捌きがキラッ、キラッ、と照明に光る。二番手の館内放送で無名俳優達数名が現場に入ると、先刻見た江利チエミは、O・Sを照らすライトの後方に立って高倉健の姿を伸び上がるようにして、目で追っていた。程なくこのシーンのラストカットがOKになり、製作進行係の「小休止」と助監督の「次、S#48《シーンナンバー》、行きまーす、よろしく」の声を聴いて、江利チエミは、そっと高倉健に近寄った。タテ師の日尾孝司が気を利かせて健さんの前を空ける。振り向く健さんの顔が照れる。

「大丈夫か?」。チエミちゃんは微笑んでコクンと頷き、監督始めカメラマン、スタッフに丁重に挨拶、立ち回りの相手《からみ》の者達にも笑顔の会釈を送る。そこには実力派ジャズシンガーとしての派手さや気取りなどケも無かった。その人懐っこい明るい笑顔と恥らいに現場の皆が一斉に歓迎の大拍手を送った。

一言二言チエミちゃんと言葉を交わすと、健さんは一点を瞶め黙考する。ややあってチエミちゃんが何か話しかけると健さんは眼瞬きして顔を向け、軽く固めた拳でこいつというふうにチエミちゃんを打つ真似をした、と、チエミちゃんは透かさず前髪を少し上げオデコを向ける。その無邪気な仕草に無名俳優は思わず見惚れ、二番手の立ち回りの事への集中心さえ離れていた。そして今夜の撮りは本当はこの「愛のワンショット」の方じゃなかったの? と想ったりもした(気持ち、取材記者)。

その二

或る日、俺が高倉健の命日11月10日の話をした時、出会いから30年来の知己花井稀衣さんが母親から聞かされたというエピソードを話してくれた。それは、高倉健と江利チエミの新婚時代の事だ。

偶々千駄ヶ谷の高倉夫妻の近所に住んでいた花井夫人は、高倉夫妻の仲睦まじさを間近で良く見掛けたという。単に新婚風景というだけなら一般の人々達の間にだってある事だから何て事は無い話だ。だが、それが天下のスター同士となると、そうザラには他人の目に触れる事では無いだろう。俺にしたって現場以外での健さんの日常は当然知り得ない。ましてや、その新婚時代の事など映画記者だって簡単に扱えるものじゃない筈だ。

花井夫人の話の芯は斯うだ。現場へ向かう時などの健さんの車を見送る江利チエミの新妻姿、健さんに寄り添う様に長身の夫の顔を見上げる横顔が実に初々しく愛らしくて、花井夫人はその二人の姿を目にする度に思わず微笑んで見惚れていたという。宜《むべ》なるかな! だ。根っからの映画好きで、高倉健・江利チエミ両人の大ファンでもある花井夫人にとっては正に「至福のワンショット」だったに違いない。「ホント素敵なお二人だったわ! 健さんとチエミちゃん…チエミちゃんもホントに幸せそうで可愛くて綺麗だった!…私みたいに、こんな身近な思い出を持ってる一般の方って余り無いんじゃない? 私の心の宝物よ」

清川虹子の知己を縁者に持つ、女優にしたら市原悦子似の花井夫人が娘に語って聞かせた「愛」の実話だ。

無名俳優は、この話を聴いて或る一つの感慨を持った。以前に聴いた誕生日に関わる話を異なるものだ。それは、高倉健と花井夫人の誕生日が僅か2日違いという事だ。俺が既知の高倉健の誕生日（年号略）は2月16日。対して花井夫人は2月18日、というこの近さだ。無論世間的には同様な例は幾らもあるだろう。だが、花井夫人の場合はそれだけでは無い。この件と相俟って、結婚当初の花井直一・里江（花井夫人）夫妻の住まいがまた高倉健・チエミ夫妻の住まいと極めて近接する距離にあったというのだ。となると、偶々…と言ってる二つの偶然が、何の変哲も無い、極く普通の偶々だった、とは思えないのだ。古代人の思想を引き合いに出すまでもなく、人と人との間には偶然とか必然とかを超越した「何か」が存在するのだ。世人は簡単に「縁」とか呼ぶが、そう安易な事では無いだろう。

――余談？　扱いにはしたくないが、花井夫妻の出身地は四国、高倉夫妻の出身地は九州である。

その三

世は挙げて旅ブームだが、俺にとっての旅は、殆んどが映画撮影《さくひんどり》の為の地方ロケの旅だ。従ってそれ以外の個人的旅は数えるほどもない。だが、その中で忘れる事が出来ない旅が一つ有る。

それは古都鎌倉の旅だ。その時詣でた長谷寺（長谷観音）の境内の一角に祀られた「水子地蔵」の中に、一般の人々の名前（供養の両親）に交じって、「高倉健・江利チエミ」と並べて記された供養札を見つけて息を呑み立ち尽くした。

世人は余り知る事はない、或いは世間にはよく有る悲哀として看過するのか。――後年の二人は色々取り沙汰もされたが、それを耳にする度、無名俳優の心には、深夜、立ち回りの現場（O・S）に健さんを訪ねて来た時の、江利チエミの明るい、無邪気な笑顔が、仕草が、蘇って来て哀れだった。――時間を先刻に戻す。1年程過ぎ無名俳優が次に長谷観音を訪れた時は小さな赤い前垂れの水子地蔵も高倉夫妻の名も亦無かった…。

＊

年が移り、また月日が流れて、或る時無銘俳優の心に激しく迫る或る想念が湧いた。それは、山田洋次の『幸福の黄色いハンカチ』の劇中で、物語りの原点ともなった、流産した妻と夫との場面を見た時だ。「御免ネ。次は気をつけるから…」と詫びる妻・倍賞千恵子の顔。「だから俺、無理するなって、そう言ったのになァ…」と落胆する夫・高倉健の顔。——俺は其処が無性に哀しかった。そして、其処に不意に重なった俺の想念の「哀しみのワンショット」は、女優だけではなく、「真情《こころ》」を唱える歌手としても秀でた倍賞千恵子の顔に（Ｏ・Ｌ）する。白い頬、大っきな瞳に溢れた、女優でもあったジャズシンガー江利チエミの……大粒の涙。

流涙合掌

東撮Ｏ・Ｓの決斗

映画界の人間なら旧知の、各社共通として施《し》かれていた専属契約制に則り他社出演は不可とされ五社協定なる箍が嵌められた往時の俳優達。これが世のテレビ時代の振興にあおられたように経営不振という業績悪化から映画の現場を追われ路頭に迷った時、特にそのスター級俳優を拾い上げ再度スター俳優として復活させた映画会社、それが東映（東京撮影所＝東撮）京都撮影所（京撮）株式会社だ。

捨てる神あれば拾う神？　か。脇役俳優以下は苦労はするがツブシが利くから何とかなってもスター俳優は名前と沽券があるからそうはいかない。何処かの野球団じゃないが自前の選手を育てる能力は乏しいが既成の有力選手はいくらでも仕入れる。それだ。東撮にも続々やって来た。三國連太郎、鶴田浩二、はては菅原文太まで、皆見事に息を吹き返した。無論映画界？東映界の為には最高のメリットが生じたのだ。数多の名作も製作されたし万才三唱ではある。

だが、待てよ。それと相俟ってかの野球団の事じゃないが自前所属の俳優の価値は、どうなったのだ。スターだけで映画は出来っこ無い。いい脇役から端役、例え通行演技者だって大きな役割を持っているって？か。カッコイイことはよせや。証明してくれ証明…。そう、結局のところ自前俳優の誇り、プライドって事さ。古来格言と言うか譬《たとえ》にあるだろう？〝長い物には巻かれろ〟って。でもネ、大蛇に身を巻かれてみな。どうなる？　話は転回するが、東撮の古老俳優・松本某（『にっぽん泥棒物語』出演、今は冥界）が内緒で語ってくれた伝説的実話がある。そこで登場するのが「ヤマリン」こと、東撮古参俳優・山本麟一だ（東撮名物シリーズ『警視庁物語』では何クールかのレギュラー刑事を演り、悪役のみならず今井正の『あれが港の灯だ』、山本薩夫の『にっぽん泥棒物語』の出演作がある）。この男、滅法自我心が強く良く言えば極端な一徹者。室田日出男と同じ純然たるドサンコ（北海道出身）なのだ。

さて、俺が耳にした松本老からの「ヤマリン伝説」は斯うだ。この話は某作家の文章にも登場するので御当人には御許容を願いたい。

余談では無いが、俺が東撮入りした当時もまだこの名残りは存在した。その風習だが、俳優間で、先輩が後輩連中に例えばイイカッコしたり、カッコ付けるとか、態度に何か問題があり気に喰わない者が居ると、有無を言わせずO・Sに呼び出しヤキを入れるというものだ。どんな弁解も一切利かない。この事は単に噂の段階で知っている他社の俳優連中からも「東撮は恐い」と牽制されたが後年はダラシ無い程お人良しの楽な所になり、「東撮は天国だ」と逆にナメられる事も出て来た。勿論、山麟の一件はずっと以前のその風習がピークの頃だ。其処へ、東映社員スターとして東撮にやって来た俳優が元々は松竹映画のメロドラマ大スター鶴田浩二だった。

その時代は大映の俳優だけが全員社員の給料を貰い、一本出演するとパーセンテージのギャラを得るという契約システムで、例え出演作が無くても基本的な自身の生活は保障されるメリットがあった。従来東映の契約には俳優に対するそんな待遇は無かったが鶴田はその条件契約を行なったのだ。無名俳優・五野上力などの契約は野球選手と同じく（比較にはならないが）年々その実績に依る一年毎の更新だったが、鶴田のような大スターの有り方としては全くの異例だったのだ。これは俺の憶測だが、多分山麟は先ずその事実を知り立腹したのだろう。東映生え抜きの自分はその頃本社契約俳優としての身分にあり、他の専属者が得る専属料も無く、年何本まで出演保障というギャラしか無いのだ。従って出演作が少なければ、それだけ収入が減る寸法だ。このよそ者鶴田との格差。だが、山麟が真実怒ったのは他にある。諸氏は一体何だとお思いか？　それは、演技力だった。鶴田は東撮俳優達の演技力を批判したのだ。その批判の中に高倉健、今井俊二（後に健二と改名）、そして山本麟一が居たのだ。端的に言えば「お前たちのシバイは成っちゃ無い。ヘタクソだ」と極めつけたのだ。しかし、後々、演技力云々の其処までは当然至らない俺は真実想った。鶴田浩二の演技の巧みさ、それは紛れもない鶴田がそれまで培った演技力に外ならない。

山麟たちに投げつけた暴言は、例え一時の鶴田の慢心だろうと、裏を返せば、「お前たちしっかりしろよ」と訓した行為だったかも知れないのだ。残念乍ら山麟にはそれが読めなかった。確かに東撮俳優としては誇りを傷つけられた。だが、高倉健は、鶴田との立ち回りの後、投げつけられた鶴田の言葉に対して、「分かりました。努力します」と返して（O・S）を引き上げたという。僭越だが、この（O・S）の一場を無名俳優の想念でシナリオふうに書く事を御許容願いたい。

S#　東撮・第1O・S　薄暮

大通りを挟んだ正門から四人の男がO・Sに向かって歩いて来る。カメラが寄ってみると、山麟（山本麟一）と高倉健、今井俊二、後に少し離れて鶴田浩二だ。

S#　パーマネントセットの飲み屋街

路地の一角、来る山麟たち。立ち止まる、と間髪を入れず高倉、今井を押し退け鶴田に襲い掛かる山麟。タックルに屈する鶴田の躯。

山麟　「オイ！　鶴田!!　貴様が俺たちの事、何とヌカしたかもう一度言ってみろッ」

鶴田　「一度で沢山だが、念の為言ってやろう。貴様たち、演技《シバイ》（シバイ）って何だと思って演ってるんだ？分かってるのか」

山麟　「バカヤローッ、ガキに向かって言うような、クダラねえ口利くんじゃねえ！　此処は東映だぞ！　他《よそ》者《もん》が大《でけ》えセリフ吐《たた》いて只で済むと思ってたのか！　サア！　掛かって来いや、勝負しろッ」

立ち上がった鶴田。左肩を少し傾けた癖でニンマリし、ボクシングのファイティングポーズを取る。

映画の殺陣《タチ》回りとは訳が違う格斗が展開、高倉、今井も山麟に促されて鶴田に向かう。鶴田も覚悟の上だ。脅えてはいない。乱斗――3対1。ラグビーで鍛え貫いた山麟の猛者振りに、鶴田血を吐いて地面に蹲る。

――引き揚げる山麟たち。その中で、ふと、鶴田の様子を振り返る高倉健。

高倉　「御免！…分かりました（呟く）」

暮れなずむO・Sの向う。立ち上がった鶴田、空を仰ぐ。カメラ、寄らない。涙が見える筈だから。

END

高倉健の「男の魂と優しさ」

このエピソードは、一言で男同士に於ける魂の在り様だ。高倉健は病人を見舞う事をしない、という話が非難めいた噂で人々の間に流れた事があった。俺も何処かで耳にした。世人は極く普通にそれは薄情という「負」のレッテルを貼りたがる。高倉健は冷たい人物なんだ、と。

しかしその短絡さは当らない。各々人間には他者には知れない事情が有り、考え方だって有る筈だろ？　高倉健が何故そうなのか、そうしなければならないのか、ならなかったのか、？　と思う事は、関係無いよ？　か。マ、それはそれで良し。これはそういう御仁にする話ではござらん故——そんな頃、無名俳優が現場以外の東撮で谷隼人に久方振りに会った時こんな話をしてくれた。「此処ンとこ、山麟《やまりん》さんの所へ行ってるんスよ」。それは肝臓ガンで治療闘病中の山麟こと東映俳優山本麟一に対する病院見舞いの話だった。因に山本麟一は高倉健、今井俊二は共に明治大学出身の間柄だ。谷隼人の話は続く。そんな或る時の事、病院の山本の個室で見ていた谷隼人のレギュラー出演TV番組、TBS「キイハンター」か何かの場面で無名俳優・五野上力がほんのワンシーンかそこら写っているのを知って、多分『にっぽん泥棒物語』の方言指導をやった奴だと思い出したのかも知れない。『今の、彼だろ？』と言ってリキさんの事話してましたよ」と…オッと、これは無名俳優の件ではない。失敬！

谷隼人の話を聴いていて、その時俺が直感的に感じた事がある。それは、谷が山本麟一の病室を度々訪ねていた蔭には、かつて日活から移籍して来た同じ九州人の隼人を可愛がっていた高倉健がその谷を通じて山本の病状を案じ心中見舞っていたのだと。そこでまた俺は高倉健の心情に想いが到るのだ。かつての明大ラグビーの猛者・山本麟一の六大学屈指の体躯、その強者のラガーマン風貌で映画に於ても、例えばフランス映画のギャングにでもしたいキャラクターで売った盟友・山本麟一だ。その山麟の病み衰えた姿を眼にしたくは無かった。山本当人にしても本心を糺せば、決してそんな己れの弱った姿を見せたくはない、見られたく無かったに違いないのだ——そう想えてならない。それが高倉健の男の魂の優しさであったと信じて止まない。魁優・山本麟一はまさかの病を口惜しがり乍ら他界した。

冥冥合掌

（ごのうえ・りき）

デジタル過渡期の映画上映㉔

ぼくたちの失敗

長谷川康志

19年10月12日（土）から13日（日）にかけて東日本を縦断した台風19号は、100名近い死者と甚大な被害を各地にもたらした。東京・神奈川などのほぼ全ての映画館は12日を臨時休館し、『真実』『最高の人生の見つけ方』などの舞台挨拶は軒並み中止された。13日の対応は劇場毎に異なり、国立映画アーカイブ（NFAJ）や東京都写真美術館は臨時休館。ほとんどのシネコンや名画座、閉館目前のスバル座などは午後から上映を再開した。シネマヴェーラ渋谷は通常開館し、予定通り『赫い髪の女』の宮下順子&石橋蓮司トークを実施している。

この台風で川崎市市民ミュージアム（収蔵品約26万点）は地下1階の収蔵庫9つが全て浸水。以後、休館したままである。10月31日、水没品の市費修復の方針が出されると共に、9万点にかけていた保険は水害の補償対象外だったことが判明（「タウンニュース」11月8日号）。市策定のハザードマップ（04年版）で周辺の浸水深3〜5mと想定されながら、明確な対策を講じてこなかったことも明らかになった。11月14日、川崎市の市民文化振興室は詳しい被害状況の公表もないまま「収蔵品の修復に向けた寄附のご案内」をリリース。同月25日の市議会で福田市長が《歴史的、文化的な資産を毀損した責任を痛感》と謝罪。12月5日の報道発表資料によると、同月4日時点の映画約12500点のレスキュー状況は《映画フィルム（神奈川ニュースなど）約340点搬出》とある。杜撰すぎる運営と対応は人災レベルと言えよう。

†

昨年は『男はつらいよ』第1作公開から50周年に当り、様々なプロジェクトが展開された。トークイベント、NHKのドラマ「少年寅次郎」（19年10月〜全5回）と「贋作男はつらいよ」（20年1月〜全4回）の放送、旧作49本の4Kデジタル修復版作成と上映（角川シネマ有楽町で10月25日〜11月7日に15作品上映。名古屋・大阪でも）、そして12月27日には50本目の新作『男はつらいよ お帰り 寅さん』を公開。直営館では新作の「中学生以下100円鑑賞キャンペーン」まで実施する、寅さんの叩き売り状態だった。松竹の映像本部長・大角正常務は「文化通信ジャーナル」19年12月号に《4Kデジタル修復映像の活用方法を模索したのが、新作映画の出発点》と語っている。新撮した現代の物語に回想等で旧作が使用される構成だが《4K化した昔の映像とタッチが合うかどうか懸念があった》ため、東宝スタジオでの新撮は4Kデジタルカメラを用いた。なぜフィルム撮影だとタッチが合わなくなるのか理解し難い。そもそも13〜16年頃に山田洋次監督がデジタル化は《発展ではなく合理化》《私が生きているうちは、フィルム撮影を続けたい》と頻りに発言していたのは何だったのか。そして、今年1月4日発売「週刊ポスト」（1月17・24日合併号）に《横尾忠則「山田洋次監督にアイディアを盗まれた」》の激白記事が載った。旧作をコラージュする構成、現在のさくらやリリーたち、さらには寅さんの幽霊を登場させる発想などはみな横尾氏が山田監督に語ったものだという。横尾氏の名前が出てくるようになったのは、氏が山田監督へ抗議の手紙を送った後の完成披露試写会（12月19日）以降で、クレジットやパンフ（1200円）にはヨの字もない。横尾氏はクレジット等を要求している訳ではなく、ただひと言の断わりができぬ山田監督のモラルの欠如を嘆き、呆れている。

折角なので、ここで最近のフィルム撮影作をいくつか挙げておくと、35ミリを主にしたものでは『真実』『ワンス・アポン・ア・タイム・イン・ハリウッド』『スター・ウォーズ／スカイウォーカーの夜明け』など、16ミリでは『さらば愛しきアウトロー』、『1985』（第28回レインボー・リール東京で上映）、『ファイアー・ウィル・カム』（第32回東京国際映画祭〔TIFF〕&第16回ラテンビート映画祭で上映）などがあった。

†

19年10月28日から11月5日までTOHOシネマズ六本木ヒルズなどで開催されたTIFF。初日夜にスクリーン3で上映された前述の『ファイアー・ウィル・カム』で機材トラブルによる音声不良があった。メインのスピーカーから音が出ておらず、焚火が爆るような音がしている。上映は中断されたが直ぐには復旧せず、開映から22分後、全員ロビーに退出するよう指示された。ほとんど座る場所がないロビーなので「観客が着席した状態で作業できないのか」と係員を問いつめる者もいた。復旧後、冒頭から上映。終映時刻が30分以上押す結果となった。

特集上映「映像の魔術師 大林宣彦」では『野ゆき山ゆき海べゆき』『さびしんぼう』（11月3日・スクリーン9）で16ミリ映写機を客席最後部に設置しフィルム上映を実施。この日、大林監督は体調不良でQ&Aを欠席した。

また、昨年の『ROMA』に続き、今年もネットフリックス作品『アイリッシュマン』『マリッジ・ストーリー』（35ミリ撮影）を上映。この2作は11月にイオンシネマ等で限定公開された。

NFAJ等との共催で米国のアーカイブを紹介する企画第4弾は「アメリカ議会図書館 映画コレクション」（10月31日～11月10日）。長編8本とイームズ短編5本（＋DCP1本）の35ミリプリントを借りて上映した。

続けて映画祭でのフィルム上映を。

イメージフォーラム・フェスティバル2019は、また会期が変わって9月14日～23日にスパイラルホール等で開催。巡回先は名古屋（11月8日～10日）のみになった。回顧では例年通り16ミリを中心にフィルム上映が盛ん。新作では短編『カヴァルケード』（19年・墺）が35ミリ上映（シアター・イメージフォーラム会場）された。

第20回東京フィルメックス（11月23日～12月1日／有楽町朝日ホール他）では阪本順治監督特集の4本、歴代受賞作人気投票上映で2本、フィルメックス・クラシックで1本が35ミリ上映。なお、カタログに『牛』(69年/イラン)が35ミリとあるのは誤記で、デジタル修復版のDCP上映だった。

また、フィルメックス初となるVRプログラムが実施された。作品はヴェネチア国際映画祭VRコンペ部門出品作『戦場の讃歌』(19年/イスラエル/11分)で、会期中に各日3回上映。1000円(手数料別)。コニカミノルタプラネタリアTOKYO(有楽町マリオン9階)にあるVirtuaLinkの設備を使用した。英語字幕のみだが、翻訳のハンドアウトあり。同施設では12月19日よりヴェネチア映画祭VR部門(非コンペ)出品作『Feather』(19年/日本/12分)を上映している。

昨年はあいちトリエンナーレの委嘱で小泉明郎がVR演劇作品「縛られたプロメテウス」を制作するなど、演劇や美術方面での活用が目立った。散発的に各分野の識者が感想を述べる現状ではVR批評は育まれない。総合的なVR作品の記録・紹介が必要だ。

†

19年の映画に関する主な展覧会を振り返っておく。

NFAJ展示室は「映画イラストレーター 宮崎祐治の仕事」(4月23日~8月25日)と「映画雑誌の秘かな愉しみ」(9月7日~12月1日)を開催。内容の薄さをトークイベントで挽回。

OFSギャラリー「DEAR JONAS MEKAS~僕たちのすきなジョナス・メカス~」(5月11日~6月13日/無料)は岡本零氏の個人的視点で構成。『いまだ失われざる楽園、あるいはウーナ3歳の年』の16ミリ上映会なども催された。

東京国立近代美術館「高畑勲展」(7月2日~10月6日/一般1500円)には東映動画労働組合やタシケント映画祭(訪ソ)関係の資料も若干展示されたが、図録には一切収録されず。出品目録の配布もなかった。

東京都写真美術館は国交樹立100周年を記念して「しなやかな闘い・ポーランド女性作家と映像:1970年代から現在へ」(8月14日~10月14日/一般500円)を開催。キャプション・図録等の作品題が英語表記のみで原題が分からぬ。カラーを白黒と表記するなどミスが多い。8ミリ、16ミリ撮影の作品も全てデジタルでループ展示。

早稲田大学演劇博物館では「追悼 映画女優 京マチ子展」(9月28日~12月25日/無料)。演博は昨年バリアフリー化工事で長期休館したが、エレベータ新設が間に合わず。入試期間に合わせて今年1月13日から再び休館に。エレベータは3月25日から稼働予定だ。

ほかに「スター・ウォーズ アイデンティティーズ:ザ・エキシビション」(8月8日~20年1月13日/寺田倉庫G1-5F/当日大人3500円)、『天気の子』展」(9月25日~10月7日/松屋銀座イベントスクエア/一般1200円)などがあった。また、映画資料は乏しいが「樹木希林 遊びをせんとや生まれけむ展」(3月19日~4月7日/西武渋谷店特設会場/一般

600円）は「完全版」「特別編」と拡大して池袋・広島・横浜を巡回した。

つぎに映画館の開・閉館について。19年9月11日閉館のココマルシアターに対し警視庁保安課は10月16日、興行場法違反（2階カフェで都の許可を得ずに映画館営業）の疑いで運営会社デジタルワークスエンタテインメントと樋口義男社長、元社員の男性を書類送検した。都が計57回行政指導も改善されず、5月に刑事告発されていた。

17年2月に休館した109シネマズグランベリーパークは大規模改装し19年11月13日に再オープン。

TOHOシネマズ新宿は4Kレーザーに変更する工事のためIMAXを9月26日から11月1日まで休館した。

11月22日に新しい渋谷パルコがオープンし、8階に「ホワイト シネクイント」（1スクリーン／108席＋車椅子席1）が開場。ロフト横のシネクイント（2スクリーン）も営業を継続。

†

最後にNFAJ「サイレントシネマ・デイズ2019」（11月12日〜17日）でDCP上映された『ユダヤ人のいない街』（24年・墺）について述べたい。これはフィルムアルヒーフ・オーストリア（FAA）が復元し18年に公開した版で、FAA技術部長の常石史子氏が復元指揮。日本語字幕も担当し、来日して上映前の解説も行った。新たな素材の発見と復元までの経緯は常石氏の「排外主義に抗って」（「NFAJニューズレター」第7号掲載）に詳しい。FAAはアーカイブ内へ難民を受け入れるなどしており、この復元計画に公的資金を得られなかったため、16年秋に初のクラウドファンディングを実施。《「失われゆく映画フィルムを救え」というメッセージに加え、異民族、異文化の排斥に対するNOをも訴えるこのキャンペーンは、公的な文化機関に通常期待される範囲をあえて踏み越えた、政治的なステートメントであった》と常石氏は書いている。作品には、ENDEと復元クレジットの間に、本作公開翌年の25年に原作者フーゴ・ベッタウアーがナチ党員に襲撃され死亡した事を説明するタイトルが挿入されていた。

オリジナルに近づけるという復元の基本原則から完全に逸脱している。異なる歴史的背景を持つユダヤ人迫害と昨今の難民問題を「排外主義」の語で汎化し、旧作を復元することで今日のリベラル・プロパガンダに作り替えてしまった。常石氏は新発見の素材に《カタコンベでの宗教儀式》の場面等が残っていたと記しているが、復元を観る限りシナゴーグの誤りであろう。ユダヤ文化など知らずとも、運動には利用できる。この野蛮で権威主義的な態度は、ほとんどナチズムの裏返しのようにも見える。個人が何を信奉しようと自由だし、目の前で困っている人に手を差し延べるのは当然だ。だがそれが思想や運動になると、それを押しつけ、同調しない者を排斥するようになる。これを全体主義という。戦前のそれとは異なる、68年型ファシズムが、映画復元に顕現した。この最悪の事態に加担してはならない。（はせがわ・こうし）

映画批評家旗揚げの頃

「映畫と演藝」を中心に

武田鐵太郎

草創期の映画製作は各国それぞれ消長があったが、第一次世界大戦（1917〜1918）を契機にアメリカ映画の興隆が顕著となり、1923（大正十二年）頃には世界市場を席巻していた。しかし、映画後進国ながら我国では事情が異なり、大正十三年頃を境に邦画の封切数が外国物を上回るようになり、「一部高級なファンを別にして、一般的には日本映畫さへ見てをれば事が足り、特に高い料金まで拂つて、外国映畫を見に行く必要はない」（「映畫と演藝」昭和3年4月号、石巻良夫）という状況であった。

その高級なファンというべきか、知名な人士は映画をどのようにみていたのだろうか？「映畫と演藝」は創刊の翌年（大正十四年）早々、「各方面の名士」に「昨年中一番よいと思はれた」映画と演芸のアンケートを行っている。映画については、「日本映畫、西洋映畫」に分けての設問で、洋画に関してはともかく、邦画に対しては実に手厳しい。無視、あるいはとりたてていう程のもの無し（田中総一郎、大橋玄鳥、大林宗嗣、鈴木善太郎、桝本清、中村吉蔵、津田青楓、林和、楠山正雄等）の他に、「日本の映畫は感心しないので見ません」（今東光）、「嫌いで見たことがありません」（直木三十三）、「日本の映畫など馬鹿馬鹿しくて、それに辯士の説明が不快な為に、成るべく見ぬことにしてゐます」（若月保治）と、積極的否定もある。川路柳虹、橘高廣、東健而、六車修、石

橘高廣

巻良夫、岡村紫峰、石井迷花、牧野省三は好意的だが、概して消極的コメントに留まっている。つまり、いわゆる識者からは、映画、特に日本映画は問題の多い未熟なジャンルで、ましてやその批評などと思われていたわけだろう。

大正八年に「キネマ旬報」を創刊した田中三郎はそうした風潮をくやしがって、「映畫と演藝」(大正15年5月号)で述べている。映画はもっと社会から注意をもって迎えられなければならない。種々問題はあろうとも、「否み難き最近における日本映画製作界の隆盛、社會民衆の日本映画に寄する絶大なる期待」を痛感し、喜ぶと共に、「僭越ながら映畫に對する正當なる見解を私達のうちから御聴取願い度いと思ふのであります」。「映畫批評家、これ正に眞あたらしき新職業であります。時既に遅きが如くにして實は然らず、漸やくこの新職業をもって細々ながら自営の道を拓く面々繁からん時」と「映畫批評家」披露を言挙げしている。

その年のベストというより、めぼしい10本を選ぶという意味合いのベスト・テン選出は、1919頃、アメリカで始められていた。それを意識したのか、「キネマ旬報」でも大正十三年度(1924)から外国映画、大正十五年度(1926)からは日本映画のベスト・テン詮衡をスタートしている。当初は読者の一般投票により、昭和五年度は一般投票、推薦審査委員(飯島正、筈見恒夫、柄澤廣之、立花高四郎、田中純一郎、田中三郎、森岩雄、佐々木能理男、古川緑波、杉山静夫)による再投票の二段階試行、昭和六年度は読者投票に戻り、昭和七年度から、邦画、洋画それぞれの詮衡委員(兼任もあるが)の投票形式にほぼ定着した。この詮衡方法の推移からも、田中の映画批評家旗揚げ宣言にもかかわらず、内外の映画全般に細やかな目を通せる人材が乏しかったのがわかる。田中三郎は事に当たり公平且つ潔い人だったようで、選考委員も当初から旬報同人以外にも門戸を開いている。

そんな中で、「映畫と演藝」は早くも大正14年7月号から「映畫批評家列傳」の連載を始めている。第一回は橘高廣(立花高四郎)で、筆者は保篠龍緒(星野辰男)。「當年四十三歳」「かいぎゃくと皮肉と野次とが口の先から、筆の先からほとばしり出る自称映畫漫文家」「肩書は警視総監官房特別高等課検閲係長」「(明治)四十年に早稲田英文科を出ると東京毎日や報知で筆を振ってゐたが、大正六年警視庁に飛び込んで」「フィルムの検閲から芝居脚本の検閲まで一手でやってのける敏腕を発揮」

「成人向映畫と児童向映畫との検閲上の区別を制定」「庁内地下の一室で古いアーバン機をブン廻し」「ある時朝の八時からパンを齧り乍ら五時まで一分の休みもなしにブツ通しの検閲をやって『あとまだ願い出たのがあれば致しますが…』と涼しい顔をしてゐた時には、流石の営業者も悲鳴をあげて『ウヘツ……』といったまま目を白黒させたそうだ」。「大正八年には帝国教育會の嘱託となって権田、橘、菅原、星野といった顔ぶれでムービー・ムーヴメントの第一聲を挙げ、大正九年九月同じ顔ぶれで文部省社会教育調査委員となって民衆娯樂といふ言葉が生れ文部省推薦映畫が生れて、説明者講習會となり映畫展覧會となり、ジゴマ以来低級視され不良視されてゐた活動写真を社會的に認めさせ民衆の娯樂としての第一位に押し上げるのに多大の力となった」。「今は故人となった花房種太氏の技術方面の図書蒐集（註：没後朝日新聞社に寄贈）と並んで、廣い範囲で映畫関係の図書を収蔵する点では現在日本の第一人者」であり、最近では「学生十余人から成る映畫研究団体S・T・Sのリーダーとして」その場所と図書を提供するなどの活躍ぶり、星野との親密な関係は伺われるにしても、混沌とした草創期映画批評界からまず取り上げるとすれば妥当な人選だろう。

森岩雄

第二回は森岩雄。1899生れ。新進気鋭グループの代表格という位置付けだろうか。筆者は「街の手品師」トリオ（村田實、近藤伊與吉、森岩雄）の近藤伊與吉。「成蹊学院高等商業部の出身で」「最初は誰でもの如く一個の鑑賞家に過ぎなかった」が、「実際の映畫製作を経験する為に高松氏の教育映畫資料研究會へ入った。そこで脚色者兼監督助手兼カメラマン助手兼宣伝係などをした」。その後も中央映畫社という映画貿易商を創立したり、日本映畫俳優学校に関係したりと種々の実務的経験を積んだことが、「批評家としての立場を非常に力強いものにしてゐて」その評が適切に感じられ、「吾々実際に従事する者の間に非常な人望と権威」を持っているとしている。

「グリフィスよりチャップリンまで」（「映畫と演藝」大正14年5、6月号）から抜粋してみる。「グリフィスの仕事の中で一番に大きな仕事は、「散り行く花」（1919）を作ったことである、「幸福の谷」（1919）を作ったことである、といふやうにとりどりな意見が出やう、併し僕は1913年前後になした彼の仕事が最も重要な意義を持つと考えてゐます（註：「国民の創生」の製作は1915、「イントレランス」は1916）」。「活動写真に携はってゐる誰も彼もが社會的に香具師の群や寄席藝人以下の低い位置に甘んじて働いてゐたといふ時代に彼が隠されてゐた映畫の魅力を一つ一つ表面に引き出して見物の心を動かし、活動写真の娯楽物としての価値を高からしめる源を切り開いて行ったからであります」。しかし、グリフィス映画は、涙を誘う場面でも、「人間味」から来る感激よりは、「異常なる筋の扱い方」から来る感激の方が多分の様におもわれます。「イントレランス」現代編で、夫に死刑の宣告が下るまでの妻の「悲しい心持も、しんみりわれらの心に感じさせて行くといふよりは、ピシピシ、これでも悲しまぬかと鞭打って来る、こしらへ物の強さのやうに思はれます」。そんな時に、チャップリンの「巴里の女性」（1923）が生れ出ました。この映画の「最もよいと自分が考へるのは、映畫面に人間の魂がとけ流れてゐることであります。魂と魂が互に泣き、笑ひ、悲しみ、慰め合ってゐることであります。一寸した笑ひに、軽く上げる手に、後ろを振向く肩の線に、いやいや相手の目を見るこちらの目の光に、われわれ人間のほんとうの姿を、あやまたずに描いて見せてゐます」。この映画は直ちにルビッチュに影響を与えて「結婚哲学」を作らせ、モンタ・ベル、パウル・ベルン、スタンバーグ「救ひを求める人々」など多彩豊富な「活動写真」が生れつつあります。「グリフィスの手法が一時期を区切ったやうに、チャップリンの手法は世界の映畫に大きな波紋を書きつつあります」。

第三回は東健而。筆者は川口松太郎。「熱情家にして然も圓満なる常識家、科学者にして更に詩人。紳士にして江戸っ子。人を罵倒しながら驚くべき親切心。又実際的な事業家としてもキネマにピストルに飛行機に潜航艇に、ライタアとしては批評家にナンセンス作家に口も八丁手も八丁、科学に文学に行くところ一として可ならざるはないのである」。映画批評家の彼についてはわたし風情がかれこれいうまでもあるまいが、と遠慮しつつ、

東健而

「良い映畫を賞める會の創始者、映畫界在野党の旗頭。穏健の如く、峻烈の如く、賞められたのか、貶なされたのか、曖昧模糊たる彼の映畫批評は、製作者をして旺々泣き笑いの滑稽を演ぜしめる」。彼の滑稽意識は世間一般の皮肉を通り越した別種、独自のもので云々。「半年ばかり前から彼はヴェスティ社の日本支配人として活動営業者の一人となってゐる。聞くところによると商売はあんまりうまくないそうである。慶賀すべきことと思ふ。早くやめてくれゝば好いと思ふ」。そして、「昨今病ひを得て入院中だが、快癒はかばかしからざるに業を煮やして、美しい看護婦をさかんに手古づらしてゐる」と締めくくっている。

その後病状も軽快したのか、愚教師事東健而は、「映畫と演藝」に連載を開始し、昭和2年7、8月号では、「世界の映畫界を通じて、最も良き映畫を作った、最も偉大なる映畫藝術家」チャップリン、フェアバンクス、ロイドの三人を取り上げ、まずチャップリンに触れ、次いでロイドに移る。「弱いくせに無鐵砲で、することなすことにヤケに熱心で、そして愛すべきずうずうしさを一杯に持ち合せてゐる男、つまり『驚くべき青春』がそのまま映畫になったやうなのが、ハロールド・ロイドなのである」。「だが、チャップリンの映畫の場面々々が皆道化の皮一枚を被った、鋭敏なる神経そのもののやうな、藝術と商売との渾然たる調和であるのに反して、ロイドの映畫はまた、どの場面を見ても、實に寸分も抜け目のない『商売の傑作』として出来上がってゐるのである」。「さて、ダグラス・フェアバンクスの映畫は、あゝこれこそは『運動の詩』だ。ダグラスは、運命の神様の胸板を目がけて真向から稲妻の如く突込んでゆく」。不敵な面魂と、熱血と、豹の如き優雅なるモーションとをもって。「私は彼の如く美しいモーションをもって動く俳優を他に知らない」。「けれども、我が文壇や映畫界の識者の目には、チャップリンの藝術は解っても、より偉大なるフェアバンクスの素晴らしさなどは、まだわからない」。

数年後になるが、「映画往来」昭和六年5月号では、チャップリンに就いての（内外の）諸家の研究に異議を唱えている。枕で、「現在の映畫ファンと映畫批評家とに與へる警告」という依頼だが、「一段高いところに居るやうな態度で、斯うしろの、あゝしろのと云うことは、何よりも先ず滑稽で私には出来ません」と断った上で、「（まず）チャップリンの畫が何が故に面白いかを検討すべきであるのを、如何にチャップリンが藝術家であるかを主にして考えてゐます」。「（彼は）自分に満足の出来る迄作品に磨きをかけますが、それは同時にマキシマムの利益をかき込むための確信を得るプロセスなのです。だから彼は世評に對して神経質になったり、興奮したりするのです」。「彼は小さい時から貧乏人として世の辛酸をなめ盡してゐるところから、常に貧乏人の生活に同情を持ち、斯くして映畫の上にあゝ云う形を生んだのである。彼はつまり世界のプロレタリアの心持を映畫の上に代表してゐるのだ、と斯う云うことが何処の国でも云はれてゐます」。「しかし私はさうは思わないのでありますが」。「チャップリンが昔貧乏人だったと云うことゝ、彼が考え出した彼の姿とは何の関係もないと私は思ってゐます」。「彼は赤ツ鼻の酔っ拂ひその他色んな形、貧乏人の敵であるのらくら紳士もやって見て、そして一番自分の板に附いてゐることを確かめたから、今の形に落附いたのです」。「チャップリンの映畫はプロレタリアの心を代表してゐると云う見方も、必ずしも当ってゐないと私は思ふのであります。映畫の中の彼の姿は、決してプロレタリアの生活に同化しないプロレタリアの姿であります。……チャップリンは誰よりも良く知ってゐる筈です。一文無しの弱い紳士をして貧乏人の社會を駆けずり廻らせるから畫になるのである、と云うことを。唯の貧乏人が、貧乏人の社會で、或は金持の社會で、何をしやうと面白い映畫などには成らないのであります。私がチャップリンに最も多く敬服してゐるのは實にこの点なのであります」。「最後に私はファンや批評家が願はくは自分一個の見方や考え方をするやうに希望します。人それぞれの顔がそれぞれに異ふやうに、映畫の見方も百人百色であるやうに希望致します。自己あって、然る後人の説に訊くことは實に良いことでありますけれども、人の説をウ呑みにして置いて、それから他人の眼鏡や頭で映畫を見たり考へたりすることは、何の役にも立たないものであることを私は固く信じて居ります」。

時あたかもプロキノの嵐吹き抜ける頃でもあったろうか？

（たけだ・てつたろう）

調査日本映画

戰前日活と河合・大都映畫

最上敏信

田中純一郎の「日本映画発達史」によれば、日本で動く写真―映画―が輸入されたのは一八九六年（明治二九年）一一月。およそ一二〇年以上も前のことになる。日本映画を調べるには、恐らく他の研究者や大学の先生方も全く同じ方法かと思われるが、まずできるだけ多くの資料を集め、それらの文献を個々に比較しながら、自分が最も信じられる題名だけを選択する。都新聞の復刻版を読むことが大好きだが、面白い記事にツイ目移りしてしまうのが難点である。

一九一二年（大正元年）九月一〇日、吉澤商店、横田商會、Mパテー社、福寶堂の四社が合併し、日本活動寫眞株式会社が誕生。正確にはこの日は日本フイルム株式會社との名称から日活に改称した日である。当時この日活映画で最大の人気スターといえば、御存知、目玉の松ちゃんこと尾上松之助。山田和夫「日本映画一〇一年未来への挑戦」（一九九七年・新日本出版社）によれば、「…一九二六年（大正一五）の遺作「侠骨三日月」まで、なんと一〇〇三本の映画に主演（以下略）」とある。他の文献資料も同様の記述が多いが、信じられないほどの出演映画本数である。これは果たして真実か！

最初は「尾上松之助自傳」からである。横田商會一六八本日活七〇八本の合計八七六本で、まだ少し足りない。次にその内容の写しと思われる「岡山文庫一七八・活動写真の大スター目玉の松ちゃん―尾上松之助の世界―尾上松之助、中村房吉著（一九九五年・日本文教出版株式会社）では、相当な本数の省略があり、横田一二四本日活二四一本の合計三六五本しかない。次に調べたのは佐藤忠男氏編集出版の「映画史研究」の中で、吉田智恵男氏が「尾上松之助映画全作品リスト」として、九七〇本がリストアップされている。いよいよ急接近！　さらに同氏と奥田久司氏による「キネマ旬報日本映画俳優全集男優編」では九一〇本であった。個人的には誤記が多過ぎるので好みではないが一応インターネット上の「日本映画データベース」を調べると、九六五本である。さらに科学書院版は、「キネマ旬報映画大鑑」の資料を基にしたようで九三〇本あったが誤記や重複が多く余り信用していない。ならばその映画大鑑の本数も調べてはみたが結果は九八六本であった。最近の資料は、東京国立近代美術館フィルムセンター（現国立映画アーカイブ）で二〇〇七年に発行された大矢敦子氏による「尾上松之助―日本最古の映画スター目玉の松ちゃんのすべて」だが九二二本しかない。A資料にはなくB資料にもないが、C資料だけ何故かある、というのが一番困るのだが、理由判らんこの作品も除外できずに疑問も本数も増加する。

その中で永く疑問に感じていた題名について、朱通祥男氏からご教示を戴いた。それが一九〇九年（明治四二年）二月一五日公開とされる、横田商會製作、富士舘上映、牧野省三監督、尾上松之助出演の「袴垂保輔《はかまだれやすすけ》」であった。牧野省三監督の証言や他の資料の多くが第一作は同年一二月二日公開の「碁盤忠信源氏礎」である。果たして一〇か月余り前に公開されたとするこの映画は存在したのか、尾上松之助は出演しているのか、牧野省三が監督しているのかも不明で、作成リストからは除外することにした。朱通氏は、誤記や洩れなど疑問も残る映画大鑑の改訂版を長く希望していたが、結局キネマ旬報社から改訂版は出さないということが判ると、自身は門外漢にも拘わらず日本全国の研究者、愛好者を直接尋ねて資料を取集し、「日本劇映画総目録」（二〇〇八年・日外アソシエーツ株式会社）という貴重な資料を完成した。

　この資料を基に、尾上松之助出演本数の映画は、重複や増補、増補改訂をも含め、予想外の大量本数「一一八一本」となった。

　ちなみに映画の本数の数え方には諸説があり、地方の公開時に第一篇と第二篇を別の日時に公開したという記録などをみると、例えば、一九二六年四月一日公開「實録忠臣藏・天の巻・地の巻・人の巻」は三本と数えたし前後篇は二本とすることにした。

　松之助映画の題名は、さすがに一千本を超えると面白いものが多くどれが正しい題名なのか判断に迷う。例えば、「寺子屋」だが恐らく間違いだと思われるが「寺小屋」という題名もある。映画の題名なのでどちらでも良い、という訳にはいかないぞ。現存数が極端に少ない松之助映画の内、マツダ映画社にある「豪傑児雷也」の題名もどうしても腑に落ちない。戦後タイトル製作時の原稿に誤りがあり欠落した部分をマツダ映画社が補足して新たに追加したのではないのかと思われる。映画「じらいや」の漢字表記は、映画の題名として探した限り、児雷也、児來也、自雷也、自來也、地雷也と五種類ある。しかし当時の日活現代劇スターであった「杉狂児」の漢字表記は「杉狂兒」が正しい。これも旧漢字をわざわざ新漢字へ変換する弊害により「兒雷也」ではなく「児雷也」とした？　のかもしれない。

　また読み間違いや省略と思われる題名も数が多く「劔《つるぎ》の電次」と「釵《かんざし》の電次」、「吉原怪談小櫻長吉」と「小櫻長次」、「播州皿屋敷」と「番町皿屋敷」、「怪談桃山血天井」と「皿天井」などがあり「躄勝五郎」と「箱根靈験躄乃仇討飯沼勝五郎」や「荒鬼新八」と「享保美談名馬荒鬼足立新八」が同一題名とは考えつかない。さらに「水戸政談柳澤騒動　上中下」など真実は三本、と数えるべき題名なのだろうか？

　さらに続きもある。映画監督牧野省三は恐らく尾上松之助に最も近い存在である。参考資料や経緯は省略するが、それでは牧野省三監督作品は一体全部で何本あるのだろうか、と調べた。キネマ旬報日本映画監督全集三〇二本、日本映画データベース三三三本、科学書院版三三三本と、いうところで止めた。その結果、牧野省三監督作品として、一九〇八年九月一七日公開「本能寺合戰」を第一作に、一九二八年七月一三日公開の松田定次監督を共同監督とした「佐平次捕物帖　謎　前篇」まで「三八五本」であったが精査するのも困難である。また遺作とある「荒木又右衛門」は「総指揮」であり、監督作品としては除外した。

戦前の日本映画については、今から十年程前にも、「戰前日本映畫作品記録」という大作を作成したことがある。河合映畫、大都映畫、新興キネマ、大日本映畫製作株式会社、寶塚キネマ、極東キネマ、甲陽映畫、全勝キネマと八社の作品リスト三千本余である。しかし、この冊子は現在も公表はしていない。理由は、河合映畫と大都映畫への社名変更が資料により異なり正確な時期がハッキリ確認できなかったからである。

日活についても戦前の作品について調べ始めたのは三十年以上も前になる。キネマ旬報映画大鑑と映画年鑑以外には資料もなく公開リストさえ完成していなかったが、現在は、インターネット上ですでに、日活公式記録として「日活作品データベース」があり、ルビの誤記は多くあるものの、もうこれ以上の完成データは望めないだろう。

ただし〈ご注意〉として「戦前の製作作品(1942年以前)は、資料の不足などの事情により、当HPのデータの内容が必ずしも正確なものとは限りません」が悲しい！

この日活の大スター尾上松之助が亡くなり映画界は全滅か、と思うところだが、一九二七年三月一九日公開、松竹「稚兒の劍法」で林長二郎(後の長谷川一夫)がデビューする。さらに四月二九日、マキノ映画「鞍馬天狗異聞角兵衛獅子」で嵐長三郎(後の嵐寛壽郎)、五月五日「萬花地獄第一篇」で片岡千恵藏が續く。それ以前にも、阪東妻三郎(一九二二年)、月形龍之介(一九二三年)、大河内傳次郎(一九二五年九月)、市川右太衛門(一九二五年一二月)と、すでに新スターが誕生していた。その頃の活動寫眞の常設館はおよそ一千百館余で日活と松竹が大半を占め、帝國キネマ、東亞キネマ、マキノ映画などの群小映画会社が續いていた。

以前「映画論叢」42号(二〇一六年六月)において「調査日本映画全勝キネマ」を書いたことがある。これはインターネットのデータで奈良県文化課が「奈良にゆかりの映画情報」として全勝キネマ作品一覧があり内容がお粗末なので正誤表として作成したものだった。出典の内容は、恐らくキネマ旬報映画大鑑からであろうが、自分で今42号を読み返しても理解できない。インターネット上から、比較したデータが全部削除されたからである。いつまでもアルと思うな！　親と金とインターネットのデータは。

ここで偶然、河合映畫と大都映畫の分かれ目が判別した。まずは過去の雑誌キネマ旬報誌の記録から。キネマ旬報(昭和八年五月廿一日第四百七十一號)の「河合巣鴨通信五月十一日調査」を見ると「長脇差仁義」「荒鷲を稲葉小僧と改題」「天蓋浪々記前後篇」「百人目の花嫁」「虹の女性」とある。同誌「五月十九日調査」では「恩讐變化賽」「名刹秘帖」「天蓋浪々記後篇」「新橋藝者」「琵琶歌」「虹の女性」である。

河合映画…琵琶歌、流血白鬼城、悲惨の鐵路、百人目の花嫁、稲葉小僧、恩讐變化賽、新橋藝者、江戸猟奇噺黑法師、呪文秘帖

大都映画…善惡の巷、風流斬られ月夜、新籠の鳥、で同四百七十六になって「大都映畫通信六月廿八日調査」とやっと通信のタイトルが変わり、▽河合映畫巣鴨撮影所は來る七月一日より大都映畫巣鴨撮影所と改称する事になつた。つまりキネマ旬報の誤記というよりも、会社側が社名を区別しないまま発表されて当日まで何も知らない社員たちに突然、知らされた可能性もある。

「國際映畫新聞」は当時の映畫業界新聞だが、ここには一九三三年五月二五日公開「マラソン令嬢」までが可合映畫とあり、六月一日公開「長脇差仁義」から、大都映画へ変更。さらにこの資料を使用していたと思われる御園京平「栄光の三流映画—子供五銭の活動—」も、一九三三年六月一日公開「長脇差仁義」「春雨の唄」、同年六月八日公開「虹の女性」(紅の女性は誤記)「流血白鬼城」、同年六月一五日公開「恩讐變化賽」(恩讐變幻賽は誤記)「百人目の花嫁」から、大都映画に変更している。映画年鑑も河合映畫最後の筈の六月一五日公開作品石山稔監督「恩讐變化賽」と根岸東一郎監督「百人目の花嫁」はそのまま大都映画である。

さらに確認のため都新聞で河合大都の上映館の広告を探したが一切掲載されてない。恐らくこの時期で、上映館名入りの映画案内広告を出せるのは、大手映画会社でもある、日活、松竹、新興キネマの三社のみであり、弱小会社である河合も大都も新聞映画広告を載せる経済力はなかったのだろう。但しその事情を熟知した記者がサラッと芸能欄に紹介記事を載せてくれたのである。

河合映画…「長脇差仁義」(昭和八年六月一日付)、「虹の女性」(同九日付)、「恩讐變化賽」「百人目の花嫁」(同十日付)、「百人目の花嫁」(同十四日付)、「恩讐變化賽」(同十五日付)、

大都映畫…「稲葉小僧」は、河合改め、大都映畫の作品(昭和八年六月廿三日付)、とある。以下、「悲惨の鐵路」(同廿五日付)、「新籠の鳥」(同廿九日付)、「風流斬られ月夜」(同三十日付)、「月形半平太」(同年七月十三日付)、「鎌倉綺聞」(七月十四日付)、「江戸劍飛脚」(七月二十日付)と續く。

つまり結論を云えば、一九三三年六月二二日公開「稲葉小僧」「悲惨の鐵路」からこれまでの河合映畫より「大都映畫」と突如会社の名称が変わったのである。以下、六月二九日公開「新　籠の鳥」「風流斬られ月夜」、七月六日公開「結婚五十三次」「日本晴」、七月一三日公開「江戸劍飛脚」「鎌倉綺聞」と續く。河合映畫は、一九二八年(昭和三年)三月一日、松本英一監督、里見明主演「青春散歩」に二本の旧作の再映、右太プロ市川右太衛門主演、押

マキノプロダクション京都御室撮影所

本七之助監督「勿笑金平《わらふなきんぺい》前篇」と大衆映畫聯盟賀古プロ酒井淳之助主演、賀古残夢監督「生門死門」の公開から始まっており、一九三三年六月一五日に公開された「恩讐變化賽」「百人目の花嫁」の二本で終了している。凡そ五年余りで四八六本を数えた。一方、大都映畫は、同年六月二二公開「稲葉小僧」「悲惨の鐵路」の二本の公開から始まり、一九四二年（昭和一七年）二月一一日公開、近衛十四郎主演、佐伯幸三監督「宮本武藏　決戰般若坂」で終了した。凡そ一〇年間で八二〇本あり、續映旧作の再映を含めずに河合大都合計で、一三〇六本となる。

参考までにこのリスト作成のために使用した資料は、①稲田博「河合・大都映画作品総覧一三二五本、②長岡清彦「戦争によって消えたB級映画社の軌跡　懐かしの大都映画の巻」③長谷部敏雄「河合映画の作品抄」「河合映画の男優女優」④御園京平「栄光の三流映画―子供五銭の活動―」⑤磯辺正男「大都・極東・全勝のチャンバラ映画大集合」「〃パートⅡ」「パートⅢ」⑥塚田嘉信「私家版№1素稿河合映画の公開記録その1」⑦「國際映画新聞復刻版」⑧「キネマ週報」⑨朱通祥男「日本劇映画総目録」。

このようにして戦前の映画を調べていると一番困ることは、旧漢字に振ってある「ルビ」である。特に辞典辞書の類いでは当然ながら、作成者自身が辞書を片手にまたはプレスシートや新聞広告などにあるルビを全部調べて、正しい読み方で確定して欲しいと思う。なまじ自己流で読めない漢字に読み仮名を振られると、それを正確と信じて読者が誤読する危険性が大きい。よく地人名は読めなくとも恥、ではない！　と云われるが、読めないならば、そのまま空欄にすべきである。例えば「唐犬權兵衞」は「からいぬごんべい」ではなく、「とうけんごんべい」であり「妲妃のお百」は「あねごのおひやく」ではなく「だつきのおひやく」である。時代劇の素養は、大衆文学時代小説であったり、歌舞伎、落語、講談、浪曲、浪花節などから得られるものが多かった。それらが日常的に殆ど見かけない現在では、漢字なんかもマッタク読めずにいる若い人が多くいても仕方がないことなのかもしれない。日々是日本語勉學。汝！　英語を学ぶ前に、まずは日本語を学べ！　エッ！　オーレッ？

（もがみ・としのぶ）

珍品ショウケース⑥

『水爆・女・ダイヤモンド』

ダーティ工藤

（66・伊＊フイルムスタジオ）イーストマンカラー・サイズ不明
102分
Dick Smart 2007
脚本＝オッタヴィオ・アレッシ、ジョルジオ・シモネッリ、ジョルジオ・モセル、ドゥッチオ・テッサリ　監督＝フランコ・プロスペリ（フランク・シャノン）
撮影＝ロベルト・ジェラルディ　音楽＝マリオ・ナシンベーネ　編集＝レナート・チンクイニ　衣装＝ジュアーナ・セラノ　出演＝リチャード・ワイラー（リチャード・スティプリー）、マーガレット・リー、ロザナ・タパホス、フレンゴレンテ（アンブロジオ・フレンゴレンテ）、タリオ・アルタムラ、クラヴィア・バルビ、エリオ・グエリ、ヴァレンティーノ・マッキ

　本作は69年にCX系〝黄金のスパイ作戦〟枠で放映し、筆者もその折に初鑑賞。スタッフ、キャストの顔ぶれからシリアス・スパイものかと思いきや、ディーン・マーティン主演の『マット・ヘルム（サイレンサー）』シリーズ（66〜68年、全4作品）やジェームズ・コバーン主演の『デレック・フリント（電撃フリント）』シリーズ（65〜67、全2作品）をよりズッコケ調にしたコメディ色の強い内容となっている。主人公のスパイ2007号・ディック・スマートが終始乗り回す大型スクーターが、ヘリコプターや潜水艇に変わるボンドカーも真っ青の活躍ぶりが見ものである。

　タイトルバックは、ダイヤモンドをコラージュし『ピンクの豹』風の音楽で中々お洒落な仕上がり。世界各国から5人の原子力科学者が姿を消す。これは水爆を適度に爆発させて石炭から大型人工ダイヤを作るために、大富豪のロレーヌ・リスター夫人（マーガレット・リー）が暗躍していたのだ。彼女の相棒は喉に音声発生装置を着けたマクダイアモンド（フレゴレンテ）。このサングラス男が終始不気味なので、脱線しがちなコメディ色を引き締める役割も担っている。リスター夫人が水爆で人口ダイヤを製造する秘密基地は、キリスト像で有名なブラジルのリオ・デ・ジャネイロのコルコバードの丘の地下にあるという設定なので、リオ・デ・ジャネイロでのオールロケなのだが、さしてロケ効果が出ていないのはB級映画ならでは。さて水爆盗難が続発するため危機を感じたCIAは、腕のいいスパイだが女癖の悪さでクビにした2007号・ディック・スマート（リチャード・ワイラー）を復帰させる。演じるリチャード・ワイラーがちょいジョージ・レーゼンビー似なのが、ご愛嬌といえばご愛嬌。CIAから派遣された彼の助手ジェニー（ロザナ・タパホス）がメガネ美人でいい感じなのだが、助手としてさして活躍させないのはもったいない。このスマート君本格的に捜査に乗り出したのはいいが、秘密兵器 The LBM (The Locator of Beautiful Women) で海岸にいる水着美女を捜索したりと不真面目なことこ

の上ない。それでもリスター夫人を追跡する折には、大型スクーターを小型ヘリコプターにして追跡するなど一応仕事はしている。この小型ヘリコプターは、『００７は二度死ぬ』（67・ルイス・ギルバート）に登場しジェームズ・ボンドが操縦していたジャイロコプターの劣化版のような感じだが、リオのロケ効果をアピールしたいのか、必要以上に何度も登場してはリオの景色を映し出す。そういや敵の眼を眩ますために、スマートが死んだと思わせる設定も、『００７は二度死ぬ』をパクっているのか。本筋に戻ると、大方の予想通りリスター夫人は、ダイヤを独り占めにしようとするマクダイアモンドに裏切られ重石をつけて水中深く沈められるが、潜水艇にチェンジしたスクーターによって救われる。そして悪役は退治され秘密基地も大爆発（特撮ショボイ）して、めでたしめでたし。

リチャード・ワイラー（１９２３〜２０１０）は英国生まれ。46年渡米しブロードウェイでデビュー。48年にはリチャード・スティプリー名でハリウッドデビュー。『三銃士』（48・ジョージ・シドニー）、『若草物語』（49・マーヴィン・ルロイ）などに出演するがパッとせず一時帰国。59年よりリチャード・ワイラーと改名し『カルタゴの大逆襲』（62・ルドルフ・マテ）、『ガンクレイジー』（66・エウヘニオ・マルティン）、『追撃イスタンブール要塞』（66・リカルド・フレーダ）、『必殺の二挺拳銃』（68・カルヴィン・Ｊ・パジェット）など伊映画に主演・準主演で出演し活躍した。

マーガレット・リー（１９４３〜　）も英国生まれ。女優になるべく伊語をマスターし伊へ。62年、19歳で『マチステ対怪物』（グイド・マラテスタ）のヒロイン役でデビュー。65年のマルチェロ・マストロヤンニ主演『ゴールデン・ハンター』（マリオ・モニチェリ）あたりからセクシー女優として認知される。以降、『０７７／連続危機』（65・テレンス・ハサウェイ）、『Ｏ・Ｓ・Ｓ・１１７／殺人売ります』（67・アンドレ・ユヌベル）、『地獄のランデブー』（66・カルビン・Ｊ・パジェット）、『太陽のならず者』（66・ジャン・ドラノワ）、『スーパータイガー／黄金作戦』（66・クロード・シャブロル）、『バスタード』（68・ドゥッチオ・テッサリ）などに出演し〝イタリアのマリリン・モンロー〟と称される。

フランク・プロスペリ（フランク・シャノンの別名あり）（１９２６〜２００４）は伊生まれ。マリオ・バーヴァの助監督を経て61年助監督籍のままロッサナ・ポデスタ主演『ローマの奴隷』（セルジオ・グリエコ共同）で監督デビュー。本格デビューは66年ロバート・ウェッバー主演の殺し屋ものの佳作『殺しのテクニック』。翌年同じウェッバー主演の犯罪もの『捜査網せばまる』、レイモンド・ラブロック主演『追跡！麻薬コネクション』『白昼の暴行魔』（以上77）などを監督。脚本家も兼任しているので構成力には定評がある。

（だーてぃ・くどう）

キム・ノヴァック、パイパー・ローリー
スター——芸術家たち

中田耕治

1

数年前、東京で19世紀ロシアの画家、レーピンの展覧会を見た。その中に、1枚のデッサンがあった。若い女性が、ディヴァンによりかかって、どこかうつろなまなざしを向けている。モデルは、イタリアの舞台女優、エレオノーラ・ドゥーゼ。世紀末にかけて、フランスのサラ・ベルナールに比肩する名女優だった。

当時、ドゥーゼは、ロシアではまったく知られていなかった。１８９１年3月12日、ペテルスブルグで「椿姫」を上演する。初日、観客は劇場のキャパシティーのやっと半分を埋めた程度だった。だが、3月16日、一人の作家が、この舞台を見た。作家といっても身分はまだ医科大生で、学費、生活費をかせぐためにペンネームでユーモア・コントを書きとばしていた。この「アントーシャ・チェホンテ」は、はじめて戯曲、「イワーノフ」を書いたが、上演に失敗したばかりだった。

作家はドゥーゼを見た晩、すぐに妹にあてて手紙を書いた。

「ぼくはイタリア語を知らないのに、彼女の芝居はたいへん美しいので、一語残らず理解できたような気がする。……あれほどの芝居は見たことがない。ドゥ

マーガレット・サラヴァン

ーゼを見ていると、ロシアのまるで無神経な女優たちにつきあわされ、まるっきり才能のない女優たちの芸を見せられ、失望感に打ちのめされてきたことに気がつく。……ドゥーゼを見て、はじめてロシア演劇がひどく退屈な理由がわかった。」

やがて作家はおどけたペンネームを捨てて、アントン・チェーホフとして戯曲を書き直した。これが「伯父ワーニャ」という戯曲になる。

当時、ロシア最高の劇評家、ヴャチェスラス・イワーノフはドゥーゼを見て、「モスクワの劇場で見た芝居で、これほど興奮した芝居はない。詩というものがもっとも純粋、かつは確固とした現実に姿を変えるものと理解したのは、これが初めてである」と書く。

レーピンのデッサンは、1891年3月に描かれた。ドゥーゼは、自分のポートレートを描こうとして、ホテルのロビーに日参している若い画家が、後にロシアを代表する芸術家になるとは想像もしなかったにちがいない。

レーピンのデッサンもまた、まさに詩というものがもっとも純粋、かつは確固とした現実に姿を変えるものだった。画家は渾身の力をふるってそれをとらえている。遠いイタリアからの長旅に疲れて、ホテルのロビーの椅子に腰をおろしてものうげに異国の風景に眼をやっている女優。画家にとって、デッサンは、おのれの詩を対象のあらゆる象面に押しひろげるものなのだ。

彼女は何を見ているのか。見るということは離れて待つということなのだ。絵を描くということも、対象を「もっとも純粋、かつは確固とした現実」として見えるようにすることではないか。わずか一枚のデッサンが語りかけるものは、こちらが耳をすませば、思いがけない響きをつたえてくる。

2

エレオノーラ・ドゥーゼが19世紀最高の悲劇女優（トラジェディエンヌ）だったとすれば、20世紀最高の喜劇女優（コメディエンヌ）はだれだろうか。

悲劇女優の場合は、なんらかの試練にさらされ、そのヒロインの苦悩に身を灼かれたり、自分を犠牲にしなければならなくなったり、その犠牲を通しての贖罪などが描かれる。グレタ・ガルボが描く女性は、しばしばヒロイックなのだ。

　俳優や女優は、いつも、私たちが見ていないものを「見える存在」にする。私たちが舞台やスクリーンの上で見ている女優は、エレオノーラ・ドゥーゼではない。グレタ・ガルボでもない。いつも「彼女」の前に立ちはだかる「事件」や「状況」によって、存在をあらわにする何者かなのだ。私たちは、おのれの内部に在るもの、あるいは、欠けているものを、俳優、女優のイメージに重ねて、そこにあらたな自分、もともとの本質であるところの自己を発見する。

　だが、喜劇女優の場合は、はじめからそうした制約はない。そのシチュエーションから、エンディングまで、行為、行動が、世間の規範から外れていたり、どうにもおかしい、といったキャラクターだったり。われからおかしなシチュエーションにとび込んで、なすすべもなくあがいたりもがいたりする。わたしたちは、そのヒロインの愚かしさにおどろいたり、笑ったりする。それは、笑っている私たち自身の愚かさ、おかしさを笑うことに反転する。

　私が、すぐれた喜劇女優（コメディエンヌ）をあげるとすれば——多分、クローデット・コルベールをあげるだろう。

　クローデット・コルベール。スクリーンにあらわれただけで、観客はその美貌に惹きつけられた。リンゴのような頬、眼が美しく、仔猫があまえるように笑う。1930年代に登場してたちまち人気女優になったが、40年代からはアメリカの中産階級のアイドルで、ミス・

クローデット・コルベール。フランク・キャプラ、クラーク・ゲイブルと

アババ・アヴェレッジ・アメリカ（平均以上のミス・アメリカ）と呼ばれた。

1905年9月11日、パリ生まれ。本名、リリー・ショーソワン。6歳で、アメリカに移住した。ニューヨーク育ち。1923年、初舞台。ブロードウェイで知り合った劇作家の「ワイルド・ウェスコット」という芝居に出た。フリンジ（オフ・ブロードウェイ）の劇場だったらしい。ここで、舞台の演技を身につけた。1927年には、ウォルター・ヒューストンと共演するほどの女優になった。この頃に、ノーマン・フォスターに出会っている（俳優、演出家。後年、多数のTVドラマの演出や台本を書いた）。

1934年、彼女にとって、最高のチャンスが訪れる。はじめはマーナ・ロイの主演で撮影される予定だったが、この映画『或る夜の出来事』でクローデットが起用された。1934年度、アカデミー賞主演女優賞を得た。

そのコルベールが油絵を描いている。タイトルは「ジェームズ・スチュワート夫人」。モデルになってくれたのが親しい映画スターの新夫人。

制作年代はわからないが、おそらく1960年代初期、ジェームズ・スチュワートがマーガレット・サラヴァンと離婚し、グローリアと再婚した当時に描いたもの。

クローデット・コルベールのことばを聞こう。

私は女優になるまで絵を描きはじめませんでした。もともとは衣裳デザイナーになろうと思っていました。そのための勉強をしてきましたが、神の思し召しでステージに立つことになりました。自分でも思いがけないことでしたが。母の話では、幼い頃の私は、セントラル・パークの歩道に白墨で絵を描いていたそうです。ポートレートが得意だったみたい。絵を描く哲学ですか？　アマチュア画家に哲学なんてないし、プロの画家も哲学で絵を描いてないわ。好きだから描いているだけで、デキがいいとかわるいなんて関係ないのよ。近頃は、みなさん、おかしな絵ばかり描くようになってるし、印象派なんてひどく古風な感じになっちゃったわ。私なんか、やはり印象派ね。美術的なキャリアーをめざすとしたら、やっぱり肖像画家ってところかな。

ごく平凡な述懐にすぎない。たいていの日曜画家でもこの程度の感想は口にするだろう。

親しい知人の夫人を描いても、その女性の存在感だけではなく、絵としての色彩、フォルムそのものの迫力と、内面性がなければならない。だが、描いている側の感覚が鋭敏で、技術的な側面がついてこなければ、絵としての価値はなくなる。クローデットの絵にはそれがある。ごくありきたりなポートレートながら、おすまし屋さんらしい気どったハリウッド人種のソフィスティケートを越えた一瞬の姿態、新婚のグローリアのくつろぎ、ありのまま、ものごとに動じない、といった特徴をよくとらえている。

「好きだから描いているだけで、デキがいいとかわるいなんて関係ないのよ」という表現にいつわりはない。しかし、かつてハリウッド黄金期に大スターだった女優が、やがて引退して描いた絵なのだ。その彼女が自作に関して率直に語っているのだから、当然ながら映画スターとしての芸術観、あるいは自己観がかいま見られるのは当然だろう。

注意すべきことは——なぜこの絵を描いたか、そこに内在する動機、モーティベーション、芸術家としての基本的な態度といった、スター稼業とは違った差異についてクローデットが何も語っていないことなのだ。

ジェームズ・スチュワートについて、簡単に説明しておこう。

私たちは、戦前、フランク・キャプラの『素晴らしき哉人生』、『我が家の楽園』、『スミス都へ行く』などで、ジェームズ・スチュワートを見ていた。私と同年代の人は、ジェームズ・スチュワートという俳優に独特の思いをもっていたような気がする。

評論家の古谷綱正は——『スミス都へ行く』は戦前最後のアメリカ映画になった、という。この映画の公開（1941・10・20）直後に、太平洋戦争が勃発したからである。この言及に、私は古谷綱正の深い感慨を読む。彼は、開戦後、マニラでこの映画を見たのだった（「私だけの映画史」1963年）。

開戦前日、当時、中学生だった虫明亜呂無は、野外教練をサボって、この映画を見に行ったという。

ジェームズ・スチュワートは1908年生まれ。プリンストン大で建築を勉強した。卒業後に、後年、演出家として知られるジョシュア・ローガンの劇団に参加した。仲間にヘンリー・フォンダ、マーガレット・サラヴァンがいた。1932年、ヘンリー・フォンダとともにブロードウェイの舞台に立つ。エリッヒ・マリア・ルマルク原作の、「三人の仲間」で、ニューヨーク劇評家賞を得た。この舞台が評判になって、ヘンリー・フォンダと同時にハリウッド入りを果たした。

1935年、ハリウッド入り。相手の女優が、勝気なジーン・アーサーだったり、バーバラ・スタンウィックだったりすると、不器用で、きまじめで、テレたり、おどおどしたり。そのくせ彼の演技はウィットに富んでいた。ジェームズ・スチュワートは、ナイーヴで、しかも素朴な態度で人生に立ち向かってゆくタイプのスターだったので、いつも好感をもたれた。観客は彼の内面に、「磨かれないダイアモンド」や「黄金の心」がひそんでいるに違いないと思うのだった。

当時、マルレーネ・ディートリヒは、
ラヴシーンになると、まるで靴を片っぽだけはいて、もう片っぽが見つからないみたいな芝居をするのよ。

と語っている。

マーガレット・サラヴァンについても、かんたんに説明しておこう。

1933年、『昨日』(ジョン・M・スタール監督)で演技派の女優として認められた。原作は、ドイツの作家、シュテファン・ツヴァイクの「未知の女からの手紙」。

つぎの映画、『薔薇はなぜ紅い』(キング・ヴィダー/1935年)は、スターク・ヤングのベストセラーの映画化で、マクスウェル・アンダースンの脚色だった。南北戦争で没落してゆく一家の物語で、映画史的には「風と共に去りぬ」を予告する映画だったが、4年後のヴィヴィアン・リーの「スカーレット・オハラ」の登場で、マーガレットの「ヴァレット・レッドフォード」は忘れられた。

つづく『三人の仲間』(フランク・ボゼージ/1938年)は、製作、ジョゼフ・L・マンキヴィッツ。原作、エリッヒ・ルマルク。脚色、スコット・フィッツジェラルド。復員兵の戦後への適応を描いたものだが、30年代の映画としては、けっして程度の低い映画ではない。

ヒロインのマーガレットは病身だが、花嫁衣裳を身につける。小さな白いサティンの下着、あたらしいハット、ドレス、短いジャケット、華奢で、ヒールの高い白いシューズ。圧倒的な美しさだった。しかし、やがて、彼女は結核が悪化してゆく。……

『薔薇はなぜ紅い』、『三人の仲間』でスターになったマーガレットは、ジェームズ・スチュワートと結婚した。スチュワート、ヘンリー・フォンダ、マーガレットの三人はそれぞれスターになった。

第二次大戦後のヘンリー・フォンダは『怒りの葡萄』、『荒野の決闘』などで、演技的にも明確な性格俳優として、大きな存在感を見せたのに対して、ジェームズ・スチュワートは、戦時中、応召して大佐に昇進し、戦後は「ハーヴェイ」などに出た。1952年の年収は、ゲァリー・クーパー、ジョン・ウェイン、ビング・クロスビー、ボブ・ホープにつづいて、6位。

クローデット・コルベール画「ジェームズ・スチュワート夫人」

戦後になってヘンリー・フォンダとジェームズ・スチュワートの関係は変化した。政治的に立場が変化したことが理由で、お互いに疎遠になって行く。マーガレット・サラヴァンはこうした変化に深く傷ついたのではないか。

戦後のマーガレットは1948年のブロードウェイでジョン・ヴァン・ドルーテンの「山鳩の声」で、ふたたびニューヨーク劇評家賞を得た（「戦後」の日本では、菅原卓演出、轟夕起子が出て評判になった）。やがて、マーガレットはジェームズ・スチュワートと離婚する。それまで、ハリウッドでは、もっとも理想的なカップルと見られていただけに、ふたりの離婚は、大きなスキャンダルになった。

離婚後、マーガレットは鬱病に近い状態、深刻なフラストレーションに陥った。ウィリアム・ワイラーと再婚。やがて、マーガレットはさらに大きな困難に直面する。マーガレットが映画から去ったことには大きな理由があった。突発性難聴を発症したためだった。

クローデット・コルベールは、ジェームズ・スチュワート夫妻のスキャンダルのさなかに、この絵を描いた。つまり、クローデットの絵は祝婚歌でありながら、ひそかな支援だったと想像する。

この絵のモデルになった夫人のグローリアは、「ハーパース・バザー」や「ヴォーグ」の一流のモデルたちに比較しても見劣りしないだろう。とても可愛らしいところがあり、なにか含羞を見せて、しかも成熟したたのもしさと、無邪気で、いたずらっぽいところがある。

私はこの絵を見ながら――クローデットはもとより、マーガレット、グローリアに関係はないが――同時代に生きた作家のグレアム・グリーンの言葉を思い出す。

（世の中には）そんなに悪いことばかりはない。いわゆる〈性生活〉が終わると、そのあとで長続きする唯一の愛は――ありとあらゆるもの、失望や、失敗、裏切りなどを受けいれた愛、最後には単純に、仲よくいっしょに過ごしたい欲望ほど深い欲望はないというわびしい事実さえ受け入れてしまった愛、それに尽きるのだ。（「ご主人をシェアしてもいいかしら?」１９６７年）

グリーンの辛辣な「喜劇感覚」が見えるのだが、クローデットの油絵にも、グリーンとおなじまなざしが感じられないだろうか。

マーガレットは、さらに深刻なフラストレーションに陥った。

マーガレットは、やがてウィリアム・ワイラーと離婚。プロデューサー、リーランド・ヘイワードと結婚した。だが、１９６０年、マーガレットは、自殺した。49歳。バルビツールによる服毒死だった。

映画界という激烈な人生を生き抜いて、スターにのしあがって行く。有名な女優であることによるフラストレーションや、「役」に対する適応や演技の優劣の意識からくるさまざまな葛藤。ひたすら、綺麗な、見ているほう（私たち）に心地よい感情をもたらすような映画だけがハッピーなのか。グローリアを見ていると、つい私はマーガレットの死を重ねあわせてしまう。

ハリウッド・スターの自殺は、シャルル・ボワイエ、ロバート・ショー、ジョージ・サンダース、スターリング・ヘイドンなどの例がある。女優の自殺としては、フランスのヴェラ・クルーゾーや、リーヌ・ノロ。ハリウッドではルーペ・ヴェレスの死とともに、マーガレット・サラヴァンの死はいたましい例のひとつ。

一方、その後の「ジェームズ・スチュワート夫妻」は、ハリウッドでも理想的なカップルと見られた。

グローリアは、1994年に亡くなっている。

こういう事情を知ったうえで、クローデットの「ジェームズ・スチュワート夫人」を見ると、表面のあかるさの蔭に、どこか翳りがさしているように見える。

この絵の幸福なグローリアを見ながら、私としては、「三人の仲間」から、ヘンリー・フォンダとジェーン・フォンダ、ピーター・フォンダの壮絶な「関係」まで想像してしまう。

エドワード・G・ロビンソン画「サム」

3

1931年、ハリウッドで高収入を得たのは、ジョージ・アーリス、ウォーレス・ビアリー、モーリス・シュヴァリエ、クラーク・ゲイブル、エドワード・G・ロビンソンだった。

アメリカの30年代。

犯罪の増加がいちじるしかった。警察は、犯罪の熱波（ヒート・ウェーヴ）に対処できなかった。検挙率が低く、全国的に警察の無能が糾弾され、市民の信頼も低下した。

ジョン・デリンジャーの事件が世の中を騒がせた頃、銀行強盗が一日に2件の割合で発生した。連日のように銃撃戦のニュースが、新聞の紙面をにぎわせ、2000人以上の凶悪犯がアメリカ中を荒らしまわった。各地で銀行が襲撃されたり、警官が殺害された。

チャールズ・リンドバーグの愛児が誘拐される事件のように、有名人や富裕層をねらった誘拐事件が頻発した。民衆はこうした犯罪を憎みながら、一方では、こうした事件を大きくとりあげるマスコミの報道に昂奮した。

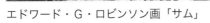

こういう時代にエドワード・G・ロビンソンが登場する。彼の演じたのは、冷酷非情、タフな、ギャングスター。ひき蛙（ブル・フロッグ）のような顔で、いつもハヴァナの葉巻をくわえていた。

『犯罪王リコ』（マーヴィン・ルロイ監督／1931年）でロビンソンが演じた「リコ・バンデッロ」は、それ以後のギャングスターのプロトタイプになった。

つづく『夜の大統領』（アルフレッド・G・グリーン監督／ともに1931年）で、ジェームズ・キャグニーと共演するが、ロビンソンvsキャグニーは、アメリカのマフィアの「夜の帝王」だった。シスコのバーバリ・コーストで起きたギャングの、血で血を洗う抗争や、急速に広がって行った売春市場、市街戦、ニューヨークのファイヴ・ポインツやシカゴの第一区について描かれた映画を見れば、こうした都市が、現在と比較してどれほど暴力的だったことか。

ロビンソンは1893年、ルーマニア生まれ。本名、エマニュエル・ゴールデンバーグ。10歳で移民としてアメリカに渡った。ニューヨーク、ロウワー・イーストサイドで育った。コロンビア大卒。名前を変えて舞台に立つ。初舞台は1923年。カナダ・トゥアーなどをへて、サイレント映画、『ブライト・ショール』に出た。この映画に、リチャード・バーセルメス、ドロシー・ギッシュ、メアリー・アスター、ウィリアム・パウエルが出ている。パウエルは、ほどなくスターになって行くが、エドワードは、舞台に戻った。バーナード・ショウの「アンドロクレスと獅子」で「シーザー」を演じている（私たちは、ジーン・シモンズ主演の映画を見ているが、「シーザー」はロバート・ニュートンだった）。エドワードの傍若無人で尊大な一種の威厳は、このあたりから形成されていったのではないか。

もっと注目すべきは、「カラマーゾフの兄弟」に出ていること。1919年1月、フランスの演出家、ジャック・コポオは、「ヴュー・コロンビエ」を率いてブロードウエイで「カラマーゾフの兄弟」を上演した（第1次大戦の「戦後」で、ルイ・ジュヴェが「フョードル」を演じている。これで、「ヴュー・コロンビエ」のアメリカ公演は終わり、コポオは帰国する。やがて「ヴュー・コロンビエ」も解散するが、コポオの影響はアメリカに残った）。1926年、コポオは「戦後」のブロードウエイでふたたび「カラマーゾフの兄弟」を演出したが、まさかエドワード・G・ロビンソンがこの公演に出たとは知らなかった。

その後、「アメリカ演劇アカデミー」で基本的な芝居を身につけて、1929年に、「キビッツァー」という喜劇（3幕もの）を友人と共作している。はじめから教養のある演劇人だった。

エドワード・G・ロビンソンは、サイレント映画の没落後のトーキーの登場に、いち早く対応できる素地を身につけて、時代のヒーローにのしあがって行く。「サム・スペード」、「フィリップ・マーロー」のボガート、ロバート・ミッチャムのように犯罪に対する糾問者ではなく、「悪」を代表するVillain（悪役）として。

レイモンド・チャンドラーは、エッセイのなかで「彼（エドワード・G・ロビンソン）が部屋に入ってくるだけで室内を支配する」と語っている。

ロビンソンは映画スターのなかでおよそスターリッシュでないスターだった。当時、ファン・マガジンが出たこともない。アカデミー賞にノミネートされたこともない。しかし、彼ほどエキサイティングなスターはいなかった。現実のエドワード・G・ロビンソンは、映画の「モブスター」とはまったく反対で、おだやかで、親しみやすい篤実な人物だった。

そのエドワード・G・ロビンソンが描いた1枚。タイトルはシンプルに「サム」。そのモデルと想定できる人物を知れば、この一枚の絵にひそむ時代性や、この絵の背景が見えてくる。

その人、サム・ワナメイカーは、日本では、わずか数本の映画しか公開されていない。しかし、『隊長ブーリバ』、『寒い国から帰ったスパイ』、『プライベート・ベンジャミン』などで、その風貌はつよい印象をあたえた。監督作も三本公開されており、これも面白い。

1919年、シカゴ生まれ。地方劇団の舞台俳優をめざして、17歳でデビュー。後年、ブロードウェイの舞台に立った。

1953年から55年にかけて猛威をふるった「魔女狩り」は、上院議員、ジョゼフ・マッカーシーと陸軍当局の大論争によって、マッカーシーが失脚して、事実上終息したと思われている。しかし、実際は、その影響は大きいものになっていた。

この時期に、下院の非米活動委員会は、236名の映画俳優、監督、シナリオ作家、テレビ関係者を喚問している。サムも、下院の非米活動委員会によって、ハワード・ダ・シルバや、ゲイル・ソンダーガード、ゼロ・モステルなどとともにハリウッドから追放されたひとりだった。

エドワード・G・ロビンソンも召喚されて、執拗に追求され、窮地に立たされた。彼が、一時的にでもコミュニスト（共産主義者）だった証拠はない。ただし、当時のアメリカ社会にたいして反対の立場をとっていた。ハリウッドから追放される寸前のところまで行ったが、かろうじて、議会侮辱罪はまぬかれた。ただし、この後、エドワードの出演作は激減する。ハリウッドでの活動をひかえた彼は、ブロードウェイの舞台に戻った。当時、人気のあったパディ・チャイエフスキーの「夜のなかばに」に出た。

しかも、この年（1956年）、エドワードは、29歳も年下のグラディス・ロイドと離婚して、財産分与のため、それまでに集めた美術品のコレクションを売り払っている。家庭内でも、一人息子が非行に走り、薬物の使用や、自殺未遂をくり返すといった状況だった。

ハリウッドから追放された、おなじ役者仲間だった「サム」にエドワードは何を見たのか。

エドワード・G・ロビンソン自身に聞こう。

映画と絵画には共通するところが多い。外側の表層の部分からはじめるが、つぎには、表面にあらわれた部分を剥がして、内側の核心に迫って行く。これこそが真実のもの、芸術家が追求したものにふれる。演技する、ある役を演じる、自分ではない他人になる。それは同時に、自分自身なのだ。幸福な映画、不幸な映画などというものはない。別の観点からみるがいい――それが芝居なのだ。下層のどん底が不幸だと？そんなことはない、それが人間にかかわってくるからなんだ。人間の問題をつきつめて行くのは不幸なことではない。そうした検証が、幸福にセットされた人間を切り離す。不幸な映画ってのは、薄っぺらいんだ――こけおどかし、偽り、醜い映画さ。不幸というのは、どすぐろいものとまざりあったりはしない。美術作品は、実際にはわれわれに従属するものじゃない。運がよければ（おれもそのひとりだが）、たまたま絵を手もとに置くという、人生最高の時を過ごせる。おれは芸術作品を収集するのではない。芸術がおれを収集する。絵を発見するんじゃない。芸術がおれを発見する。おれは、絵を描く仕事をしたことはない。絵がおれを描く。世間の人がおれが名作のコレクションをしているという。作品が別の作品を喚んで、ありがたいことにおれに費用の返済を許して下さるわけさ。

たった一枚の油絵に、「サム」の挫折がことこまかく描かれているわけではないが、この絵の背景に、下院の非米活動委員会の「魔女狩り」によって追放された、多数の登場人物、事件の暗さが見えてくる。ハリウッドという社会からはじき出された不運な同僚たちにたいする友情。同情。憐憫。そうした思いがあって描いたのか。お互いに似かよった境遇に置かれて、屈辱にまみれ、悲憤の思いもあったに違いない。

アンソニー・クィン画

しかし、「人間の問題をつきつめて行くのは不幸なことではない。そうした検証が、幸福にセットされた人間を切り離す。不幸な映画ってノは、薄っぺらいんだ――こけおどかし、偽り、醜い映画さ。不幸というのは、どすぐろいものとまざりあったりはしない。」という。サムに対する同情や憐憫が描かれているわけではない。

エドワード・G・ロビンソンは、ハリウッド屈指の美術コレクターだった。

ただの趣味人の骨董蒐集ではない。コレクターその人の人柄や考えかたをおのずと反映している。

エドワード・G・ロビンソンは語っている。

たまたま夜になって、客が帰って、静かになったとき、おれは居間で、腰をおろして、静かなお客さんに囲まれる。おれたちはお互いにゆったりと見つめあい、お互いによろこびをわかちあう。おれはすわったまま、考えるんだ。どうして人間はこれほどの美を創造できたのか、いのちを、かたちを、色彩を、キャンバスの魔法を生みだしたのか、大地のなかに、内省や、情熱や、信条を語り、さらに、おれたちみんなに希望をもたらしているのかって。おれたちもみんな大地にうまれてきたんだ。

4

映画スターや女優たちが、自分の本領ではない仕事（ここでは、絵を描いたり、音楽を演奏したりすること）を継続的に続けている場合、そこには、演技とは別の意欲が働いている、と見ていい。それは、気ばらしであっても、ただの余技であっても、芸術家としての意欲が作用するだろう。

　絵画は視覚という錯乱を呼びさまし、画家は渾身の力をふるってそれを保持する・〈見る〉ということは〈離れて待つ〉ということであり、絵画は、こうした特殊な所有権を存在のあらゆる象面に押しひろげるものだから。存在のあらゆるアスペクトがこの所有のなかに入りこむためには、それらはなんらかの形で見えるようにならなければならない。そう考えれば、絵そのものは何かを喚起したりしない。こちらが、その絵をどう見るかということになる。映画を見ることもおなじだろう。

　かんたんに、あらゆる芸術作品は、すべておのれの意志による行為だから、ゆえに創造的なのだ、といいきってもいい。しかし、その絵やその映画を創造的かどうかと見るのは、こちらの問題であって、画家や映画監督の問題ではない。

　ある日、アンソニー・クィンという俳優が自分の絵について語った。

　おれはみんなからパクッている。ピカソは誰からも盗んでいる。モジリアーニは誰からもイタダいている。ミケランジェロさんはギリシャからイタダいている。ミスター・ダヴィンチはジョットーからイタダいている。ルフィーノ・タマヨは、マヤ文明からパクッている。人さまからパクらなかったやつは一人もいない。これだけはいっておこう。偉大な才能はパクリなんだ。ちっぽけな才能のヤツは拝借する。おれは盗む。ふたりのヤツが絵を描く——ひとりは絵筆で、もうひとりはハンマーで。いつか、運がよければ、自分の内部にハンマーが見つかるさ。おれはミスター・ピカソのトイレット・ペーパーをコピーするつもりはない、絵描きのおれには役に立たないからね。あいつが使っていた絵筆をコピーするんだよ。パレットをコピーするんだ。おれは、ピカソがホーレンソウを食っていたという話をパクるつもりはない、そのホーレンソウがおれをまな絵描きにするだろうなって考えるのさ。絵として顔を描くのはむずかしくない。どっちかっていえば楽なもんだ。だけど、そのツラの本質って何なのか、とか、おれに何をつきつけているか——そいつが次の段階なんだよ。

いかにもアンソニー・クィンらしい単純明快な放言だが、ここで画家としての信念（コンヴィクション）を語っているのではない。たくさんの絵を描きつづけてきたからこそ「自分の内部にハンマー」をふるってきた芸術家の確信（セルヴィチュード）を語っているのだ。

1枚の絵。その絵の前に佇むとき、私はいろいろなことを想像する。

5

ピーター・フォークは、「刑事コロンボ」で、いつもトボけた語り口で、名文句の「うちのカミさんがね」で登場してくる。小池朝雄が、「コロンボ」の吹き替えをやって人気が出た。

このシリーズ（1968～78年）は、犯人は最初からわかっている。「コロンボ」が殺人の容疑者を問いつめて最後に完全犯罪をつき崩す「倒叙ミステリー」。

「刑事コロンボ」の背景は、まだメイン・ストリートに高層のビルがなく、犯罪などまったく起きない地域で、そこに住む人たちは、過去の人生の道が今よりもずっと平穏だった、と感じるアメリカ人たち。そのあたりは、おなじ刑事ものでも、「刑事コジャック」とは違っている。

そして、犯罪が起きて「刑事コロンボ」が登場する。いつも、くたびれたトレンチ・コート、風采のあがらない刑事。上品な語り口ではない。声もすっきりしない。しかし、舞台できたえた声だということはすぐにわかる。

私たちは、「刑事コロンボ」しか知らないが、まったく別の芸術家としてのピーター・フォークも見ておいたほうがいい。

もともとは、マネージメント・アナリストだったが、「ホワイト・バーン劇場」で、訓練を受けた。舞台の名女優、イヴァ・ル・ガリエンヌのすすめで、俳優として生きる決心をした。オフ・ブロードウェイで、モリエールの「ドン・ジュアン」に出た。「役」は「スガナレル」だった。つづいて、ユージン・オニールの「氷人きたる」に出た。これで、「オビイ賞」を受けた。ピーター・フォークが出発当初から並のレベルの俳優ではなかったことがわかる。

１９７２年、ニール・サイモンの喜劇、「二番街の囚人」で、ブロードウェイ最高の「トニー賞」をうけている。さらに、「殺人公社」、「ポケットに奇蹟がいっぱい」と二度「トニー賞」にノミネートされた。二度とも「トニー賞」を逸したが、三度目の正直で、「トマトの王子さま」で、ふたたび「トニー賞」をうけている。

ピーター・フォークは、いつから絵を描くようになったのか。

１９６９年、映画、『大反撃』（Ｃａｓｔｌｅ Ｋｅｅｐ／シドニー・ポラック監督）に出たときだった。

ベルギーの古城に進出した一分隊規模のアメリカ兵が、圧倒的なドイツ軍の攻撃にさらされるが、その古城に収蔵されている貴重な絵画を死守するといったテーマ。まだ、戦争の記憶がなまなましく残っていた時期なので、こうした映画がよく作られていた。後年の「コンバット」などにひき継がれる系列の戦争映画。バート・ランカスター主演、城主は、ジャン＝ピエール・オーモンがやっていた。この撮影中、数々の名画を見て、ピーター・フォークは美術にめざめたらしい。

１９７２年、ブロードウェイで、ニール・サイモンの喜劇、「二番街の囚人」に出演中、美術学校に通いつめて、デッサン、クロッキーを勉強した。

ピーター・フォークはデッサンが好きで、木炭、エンピツ、クレヨンで絵を描く。その腕前も、アマチュアのレベルをはるかに超えている。

フォークのデッサン、クロッキーだけでも、その力量は想像できるだろう。彼の描く人物は、ドガの描くような若い少女だったり、カロの描くような年老いた老婆だったり、ごく普通のスケッチばかりだが、そこには彼のスウィートな感受性の表情がにじみ出す。「刑事コロンボ」そのままのピーター・フォークの面影が彷彿としてくる。どこの町にもいそうなモデルたちをとらえていながら、それは彼ほんらいの芸術家（俳優）としてのたしかな精神状態を示している。

俳優という仕事は、自分にふり宛られた「役」をいわば自分の運命として引き受けるところから、そのプロセスを生きた現在として表現してゆく。当然、きわめて感覚的でなければならないし、同時に知的な作業の、いわば複合した精神の状態を生み出す。ピーター・フォークのトボけたようなディクション（セリフの口調、いいまわし）が、しばしばアイロニーというかたちをとるのは、こうしたデッサンにも共通している。

ピーター・フォークのデッサン

ある種の俳優にとって、「役」は演じるもの、アクトするものだが、別の俳優にとっては、「役」を演じるのではない。向こうからその「役」がやってきて、彼、彼女はその人物になる。その人物として考え、その人物として生きるのだ。

ピーター・フォークのアトリエには、おびただしいリトグラフ、デッサンが壁に飾られている。モデルの大多数が女性で、ヌード・クロッキーもたくさんピンでとめてある。

ピーター・フォークは、左眼が義眼だった。それが、かえって対象への観察や、均整のとりかたに、独自な修行をつづけてきたのではないか（ここでは、少女を描いたデッサンをかかげておく）。この絵は、おそらくドガを意識しているのではないか。ドガの隣りに並べられても、さして遜色のない傑作に見える。

「刑事コロンボ」でも、「エミー賞」を3度うけた。このシリーズは、6年つづいて、1989年に、再び、テレビに登場している。芸術家としては彼のリトグラフ集が出版されているほどである。

あるとき、仏頂和尚が芭蕉に俳句のことを問うた。芭蕉は「俳諧は只今の事目前の事にて候」と答えた。大拙の弟子だったR・H・プライスは、これを「ここ」「いま」と訳したという。

ピーター・フォークの「ここ」と「いま」とデッサンに、なんとなく飄々とした俳諧の風味を感じるのは、私が日本人のせいだろうか。

6

キム・ノヴァックは、名女優でもないし大女優でもない。しかし、テクニカラーの世界で、もっとも映画的なスターのひとりだった。マリリン・モンロー、エリザベス・テーラーを追ったグレイス・ケリー、ラナ・ターナー、シャーリー・マクレーン、シド・チャリシーたちとともに、「戦後」のスクリーンの絢爛たるスターのひとり。

1933年2月13日、シカゴ生まれ。

父親はスラヴ系移民、歴史の教師だったが、失業して、最後にシカゴ＝ミルウォキーを結ぶセントポール鉄道の工夫になった。母は女工。

キム・ノヴァックが生まれた1933年3月4日、フランクリン・ルーズベルトがアメリカ大統領に就任した。この年、アメリカの労働者、4人に1人が失業していた。工業都市、かつては黒煙が空を蔽っていた工業都市、シカゴでさえ、死火山のように工場がひっそりと静まり返っていた。労働者たちは、タールを塗ったボール紙の丸木小屋や、ブリキやトタン張りの掘っ建て小屋に住んで、ノラ犬のようにごみ捨て場で食べ物をあさっていた。飢えた人々が、ニューヨークやシカゴで、寒空の下でデモ行進していた。

農民たちは、アイオワの道路でミルク運送トラックをとめて、ミルクを側溝に流した。買手がつかなかった。暴徒たちは、質屋の抵当品の売出しを妨害したり、借金のモラトリアムを要求した。

大不況で、50以上の銀行が破産した。

当時のシカゴは（ニューヨークや、サンフランシスコなどの大都市でもおなじだが）、タフで、荒っぽい、無法の街だった。暴力的な犯罪の発生は、だいたいが下層階級の現象として見られていた。

移民が急速にアメリカナイズされていった例は、スラヴ系に限られていたわけではない。程度の差はあれ、イタリア系、スカンジナビア系、アイルランド系、ユダヤ系、メキシコ系にも共通して見られた現象である。ほかの少数民族グループと比較した場合、スラヴ系アメリカ人のアメリカ移住の歴史は、そのまま移民のアメリカ社会への同化の歴史で、だが、人種のるつぼのアメリカにわたったスラヴ系が、すんなりとアメリカ社会への同化をなしとげたわけではない（意外なことに、いち早くアメリカ社会への同化をなし遂げたのはアラブ系で、中国系や日系移民のように、はげしい差別に苦しむことがなかった）。

スラヴ系のアメリカへの同化はそれなりに進行していた。だが、経済的に、スラヴ系移民の多数が貧しかったことは否定できない。ほかの移民たち、たとえば、イタリア系のように機敏に社会に順応して、経済的に安定した地位にのしあがろうとする気概に燃えていたのに、チエッコスラヴ系アメリカ人どうしの広い連帯感のようなものはうまれなかった。

少女の頃のキムは、10セント・ストアのキャンペーン・ガールになった。可愛らしい美少女だった。その後、冷蔵庫の会社のモデルとして、各地をまわった。美少女で、いつも年齢以上に見られた。そして、なんといっても色気があった。頬のあたりにパウダーを叩いて、小さな唇にルージュをさして。評判にならないはずはない。一般市民を相手に商品のセールスをする仕事は、「恍惚と不安」をもたらしたにちがいない。

キム・ノヴァック

キムは、ライト・ジュニア・カレッジで、給費スカラシップ、シカゴの「芸術協会」の特待生として、美術を勉強している。

やがて、キム・ノヴァックは、ハリウッドに向かう。撮影所に群がるエキストラのひとりとして、やがてジェーン・マンスフィールドの映画、『フランス航路』に出た。つづく『シンドバッドと女盗賊』のプロデューサーは、ハリー・コーンだった（メキシコ出身の女優、リタ・ヘイワースがハリーと切れて、オーソン・ウェルズと結婚した時期である）。

ハリー・コーンは、キムに目をつけて、新人女優に「ポーランド名前の女の映画なんか誰も見にこない」という理由で、芸名、「キット・マーロー」をつけようとした。キムは――「私はチェッコ系ですが、ポーランド、チェッコ、妥協するつもりはありません」と拒否した。

その後のキム・ノヴァックは、『黄金の腕』（55年）でフランク・シナトラ、『ピクニック』で、ウィリアム・ホールデン、『愛情物語』でタイロン・パワーと共演。ハリウッドのセックス・シンボルとなって、フランク・シナトラ、ケイリー・グラント、インドの大富豪、アリ・カーン、さらにはドメニカの富豪、ラファエル・トリヒーリョ相手に浮名を流している（アリ・カーンは、オーソン・ウェルズと離婚したリタ・ヘイワースと結婚している）。

キム・ノヴァックは自作の絵、「落ちた王様」について、

これは父を描いたもの。バックは、「化石の森」から着想したの。全身の感覚が麻痺して化石みたいになった男。感覚も情熱も何もかもがなくなった。だから死んじゃったの。

と語っている。

この1枚が、幼い頃に死別した父を描いたものと知れば、キム・ノヴァックの内面にあった思いが幾分なりとも想像できるような気がする。

なかなかの美男で、ふつうのカウボーイや、牧童（ランチャー）や、炭鉱夫の着るようなデニムや作業着ではない。もみあげを長くのばして、口ひげを生やしている。体格は荒くれた労働者だが、男の顔、その表情が私たちにあたえる印象はどこか異常な印象である。なにか極度の不幸が、彼の感情を破壊してしまった。キムはそんな男の顔を描いているのだろうか。

「化石の森」の荒涼たる砂漠と、遠くに燃えさかる赤い炎のような空、放心したように佇む男のまなざしには、希望のかけらもない。男は何を凝視しているのか。それよりも、まず、キム・ノヴァックは何を凝視しているのか。

まるで砂漠のように樹木も生えていない山のつらな

り。遠い山脈《やまなみ》の暗さとつよいコントラストをなす燃えさかる炎のような夕焼け。男はその夕焼けを背にして何を見ているのか。これは、父の見果てぬ夢を物語っているのではないか。

鉄道工夫の仕事は、炭鉱の採炭夫《さきやま》、運搬夫《あとやま》とおなじような重労働だったにちがいない。ちがうのは、炭鉱夫のように、それぞれの採炭場《きりは》がきめられているわけではない。鉄道のレールはどこまでもつづくのだ。技師の測量や、地形の変化によって、果てしなくつづく。シャベルと先の尖ったピックアックス、先端がたいらなマトックスで、荒くれた原野、ときには砂漠を切り開く。固い岩盤はダイナマイトで爆破する。へそまで泥だらけにして鶴嘴（ピックアックス）を肩にして、ギロギロと目だけ光らせて、トロッコを押して行く。作業が遅れると、会社直属で、もっとも忠実に会社の利潤を考える現場監督が声をあげて、工夫たちをどなりつける。夜でも、枕木の敷設をつづける。工夫の頭につけたウォルフ安全灯の列が、闇の中を歩いて行く。……

この絵を見る人がこの男の表情から目が離せなくなってしまうのも、その顔にはりついた苦悩、かなしみ、彼の戦ってきた時間が、顔の表情にえぐりつけられているからだろう。

当時のアメリカは、大不況に見舞われて、移民としてアメリカに希望をもとめながら、大不況のために成功しなかった男の絶望なのだ。

よく見ると、右手下に、岩と岩の間に一本の朽ち果てた丸太が倒れている。幼くして父を失ったキムにとって、父のおもかげは——見果てぬ夢を追いもとめながら、「全身の感覚が麻痺して化石みたいになった男。感覚も情熱も何もかもがなくなった」男の姿だった。もっと良く見ると、男の瞼辺《けんぺん》に、何か光るものがある。ひとつぶの涙だろうか。あるいは、乾ききった眼の縁《ふち》に、わずかに残った目脂《めやに》のひとかけらだろうか。

私たちが記憶しているキム・ノヴァックは——カントリー・ガールで、セックスの抑圧を表現した『ピクニック』。オットー・プレミンジャーの『黄金の腕』。サイレント映画の女優、ヘロインに溺れたジーン・イーグルスの伝記映画、『女ひとり』など。『めまい』（1958年）の出演料は、25万ドル。ヒッチコックとはげしく感情的に対立した。この映画は、公開当時あまり評判がよくなかった。しかし、現在は、評価が変わってきている。

『女の香り』（ロバート・アルドリッチ監督／68年）は、「ジーン・イーグルス」に続く系列のバック・ステージものの映画だが、女優、ライラ・クレアの生涯を描いたもの。普通に結婚して幸福な生活を送っている「エルザ」が、思いがけなく「ライラ・クレア」という女優の役を演じる。このため「エルザ」と「ライラ」の生活が交錯してくる。キム・ノヴァックにしてはいい映画だったが、これもウケなかった。同時期に、バーブラ・ストライサンドの『ファニー・ガール』や、『ローズマリーの赤ちゃん』に圧倒されたせいだろう。

キム・ノヴァック画「落ちた王様」

その後のキムは、ハリウッドを去り、イギリス映画、サマセット・モームの『人間の絆』に出たが、日本では公開されなかった（「人間の絆」は戦前の『痴人の愛』でベティ・ディヴィスがやっている）。

つづいて、イギリスで『モル・フランダースの冒険』（73年）に出た。この映画に主演したリチャード・ジョンソンと結婚したが、すぐに離婚した。その後、ドイツ映画に出ただけで、ハリウッドにはついに戻らなかった。

ついでに書いておこう。

『化石の森』は、ロバート・シャーウッドのドラマが原作で、ブロードウェイ公演に、ハンフリー・ボガートが出た。これがヒットして、ベット・ディヴィス、レズリー・ハワード共演で映画化された。ボガートの「デューク」でブロードウェイで成功してハリウッドに進出した。自分自身しか信じない徹底的なエゴイスト、ノンコンフォーミストというあたらしいタイプのタフで、ハード・ボイルドな俳優の登場だった。

イギリスの「フィルム・インスティテュート」は、毎年、映画のベスト・テンの投票を選んでいる。1962年いらい、オーソン・ウェルズの『市民ケーン』がずっと1位を独走してきた。ところが、2012年、『市民ケーン』を抜いて、『化石の森』が一位になっている。

これもついでだが――ジャーナリストのジョージ・レイトは、キムについて、

キム・ノヴァックは、スチール写真の撮影にも、キュートな準備をする習慣があって、いよいよ撮影するとなると、胸の谷間のボタンを一つづつ外してゆく。

キム・ノヴァックは、自作の絵、「落ちた王様」を描くことで自分の人生のボタンを一つ外して行ったのかも知れない。

7

ハリウッド映画のアラビアン・ナイトは――ダグラス・フェアバンクスの『バクダッドの盗賊』(1924年)いらい、バーバラ・ラ・マールの『アラビアの恋』、さてはタイロン・パワー、ロレッタ・ヤングの『スエズ』、ピーター・オトゥールの『アラビアのロレンス』などが、中東のエグソティックな風景、いつも謎めいた秘密をはらんでたえず魅力をつたえてきた。「戦後」の私たちは、『アラビアン・ナイト』(1942年)を見たり、『アリババと四十人の盗賊』(1944年)、その続編、『スーダンの砦』(1945年)、『バグダッドの魔術師』(1960年)などを見て、アラブの種族同志の反目を背景に、姫君が父の仇を討つ復讐の物語に登場するモーリン・オハラ、マリア・モンテス、パイパー・ローリーといった美女、美少女たちに心を奪われたものだった。

パイパー・ローリーは、いつもアラビアン・ナイトに出てくる純真で可憐な美少女だった。スターレットとして登場したパイパーは、アラビアン・ナイトのお姫さまとして、トニー・カーティス相手に4本もアラビアン・ナイト映画を撮っている。

だが、パイパーは、スタートして、あまり順調にのびて行ったとはいえない。『ミシシッピーの賭博師』(ルドルフ・マテ監督/53年)で、タイロン・パワーと共演したくらいだろうか。彼女がふたたびスクリーンに戻った

のは、『ハスラー』（ロバート・ロッセン監督／61年）だった。この映画のパイパーは、それまでの可憐な美少女というイメージをかなぐり捨てた。プロ・ギャンブラーの「エディ」のガール・フレンドのパイパーは、アルコールに溺れた女を演じ、オスカーの最優秀女優賞にノミネートされた。

パイパーは、その後、スクリーンを去った。ホラー『キャリー』で復帰するのは15年後のことだ。

音楽は、素材の石を刻むときの道具の響きです。師匠は、現代のピカソ、ホセ・デ・クレフト。私の仕事を批評してくれます。私をふり返って、「キミ、なんて名前だっけ？」と聞くから、私は、「ロゼッタ・モーガンゲッターよ」って答えたの。結婚してこの名前になったから。「作品はどこにあるの？」っていうから、まだ始めてません、と答えたわ。「彫刻を始めたら、自分で運べる最大の石を相手にしなさい。そこらへんの連中のようにクッキーみたいな素材を相手にするんじゃない」ですって。

はじめて彫刻したのは、ヴァーモント産の大理石だったけれど、車のシートで運んだら割れちゃった。

作業は手でやるの。電動カッターは使わない。変わったやりかただから。大理石を掘る作業は、室内で絵筆をとるのとは違うわね。特別な場所、離れた場所をえらばなければいけないのよ。大理石の粉末はいたるところに飛び散ったりするから。作業服を着るの。作業も時間がかかるわ。少なくとも、半日がかりね。大理石が相手だと失敗したらたいへんなことになるってこと。オリジナルのアイディアがこわれるから。でも、逆さまにひっくり返したり、ほかのアイディアにしたり、いろいろやってみてなんとか作品になるのよ。ときには、最初のアイディアとは違ったものが生まれてくることもあるわ。はじめての作品を作ったとき、大理石という素材そのものにハマったのね。大理石にのめり込むつもりはないの。その作業をするのに何日もかかるのよ。自分でも何をしたいのか、決められないことがあって。最後に誰かが「よし、そこをブッたたけ、そいつにパンチを食らわせろ」っていうの。わたしはすぐに、本能的に、いわれた通りに動く。それで、石のなかに何かが見えるのよ。そして続けるの。

私の作品がいつもそうってわけじゃないけど、レンブラントにはずいぶん影響されたわね。そして、ブランクーシが大好き。演技と彫刻ってパラレルだけど、われから危険に立ち向かってゆくものじゃないかしら。作品を逆さにしてみたり。そうすると別のいいかたが出てくるのよ。「これならどう?」って。

かつてのハリウッド・スター。女優としてはたいして才能にめぐまれないけれど、悠々自適の身で彫刻家をめざして努力しているのだろうか。だが、パイパーの作品は、日曜画家、アマチュア芸術家の余技といった域をはるかに越えている。

パイパー自身が、「ブランクーシが大好き」といっているように、彼女の彫刻は、すぐにブランクーシを連想させる。

『盗賊王子』のパイパー・ローリー。トニー・カーティスと

ブランクーシは、1876年、ルーマニア南部のトランシルバニア・アルプス生まれ。1年がかりの徒歩旅行で、パリにたどり着いた。

ジャン・コクトオ、レイモン・ラディゲ、アポリネールなどと親しくなった。アンリ・ルソーといっしょにヴァイオリンを演奏したり、コクトオといっしょにロシア・バレエを見に行った。当時のパリには、モジリアーニ、フジタ、ユトリロなどの画家や、彫刻家のリプシッツ、アルキペンコ、シャナ・オルロフ、オシップ・ザッキンたちが、それぞれ集まっていた。

モジリアーニは、モンマルトルから離れて、わざわざブランクーシの住むモンパルナスに移ったほどだった。モジリアーニが、彫刻に専念しはじめた頃のブランクーシも、まさに自分の彫刻を手がけようとしていた。二人のすぐれた芸術家の相互影響をパイパーが知らなかったはずはない。

パイパーが、ブランクーシに多くを学んだことは間違いないが、モジリアーニの彫刻からも、おそらく影響を受けたのではないか。モジリアーニが、ブランクーシによって、対象の形態を本質的な構成要素に還元して、その表面を統一的に処理することを学んだ。

パイパーが、実際に、ブランクーシの影響を受けたことから、彫刻家としてのパイパーの資質、そして方向性をうかがうことができよう。

少なくとも、ブランクーシによって、対象の形態を本質的な構成要素に還元して、大理石の表面を統一する方法を身につけたと思われる。ただ、ここからブランクーシはさらに形態を純粋に追求して、ぎりぎりのところまで抽象化してゆく。

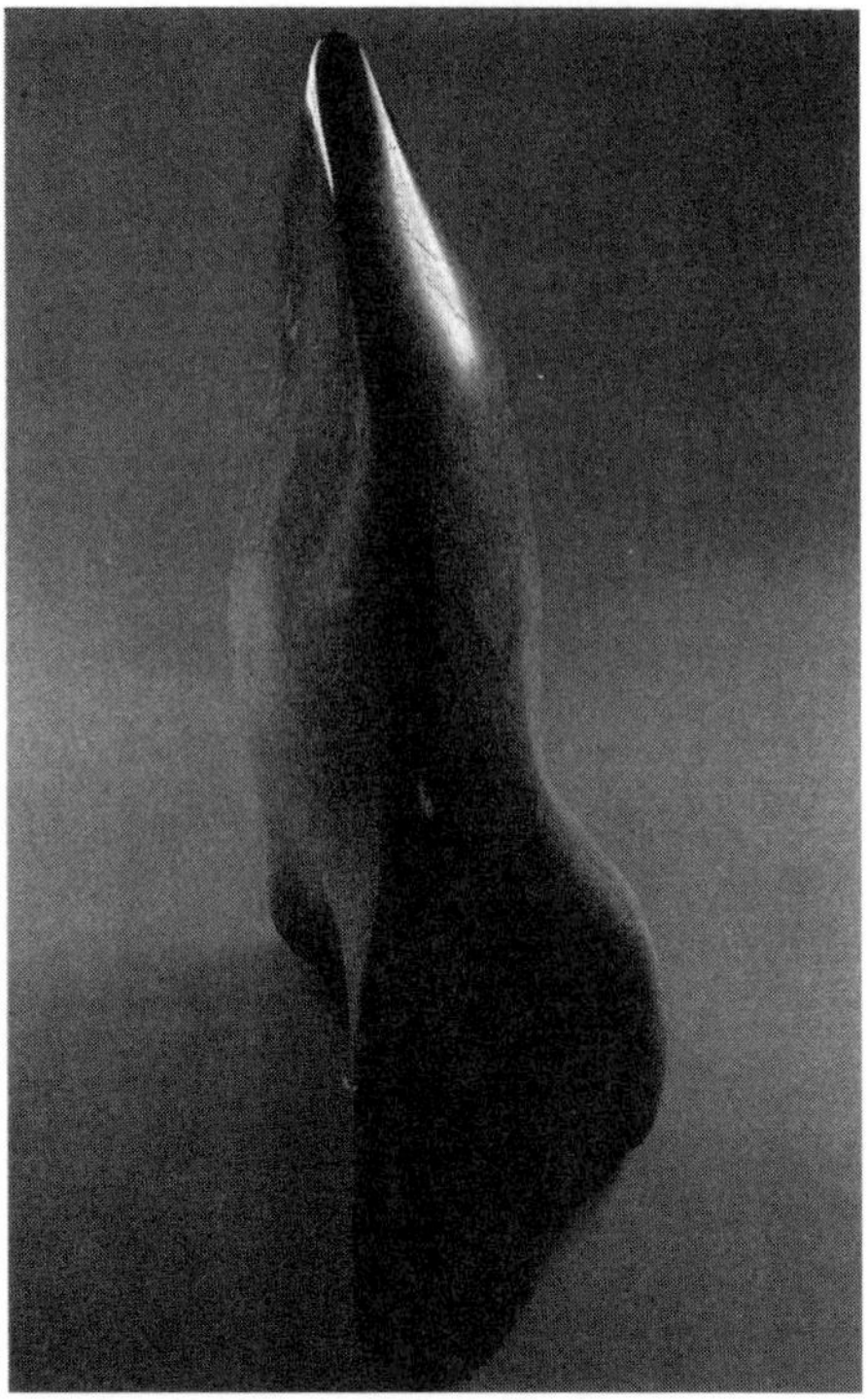

パイパー・ローリー作「ヌード」

パイパーは、ブランクーシに見紛うほどの彫刻をつくりながら、やはりブランクーシとは違う面を見せている。

それは、女の肉感性と見ていいだろう。あきらかに、女性のフロンタルな部分のカーヴ、首からヒップ（と見られる）の優美なライン。もとよりモジリアーニのカリアチュードとは、まったく違う。むしろ、流線型のロケットのような姿態を作りあげる。

パイパーのアトリエの写真を見ると、背後の壁面いっぱいに、彫刻のためのクロッキーらしい、ヌード・デッサン。さっと筆を走らせたもの。黒い台座に据えた自作の大理石の彫刻は、抽象化された楕円形の胎児の彫刻だった。

パイパーのテーマは、じつは女性に内在するフェミナンなもの、根源的なエロティシズムといってもいい。

映画スターの1枚の絵。1個の彫刻。そうした美術作品を前にして、そのスターの映画、出自、引退後の人生、さまざまなことを想像する。私にとってはそれもまた「見る」ことにつながっている。

（なかだ・こうじ）

井手俊郎、木村恵吾とコラボする

北里宇一郎

最初の出会いは京マチ子版『痴人の愛』（四九年）か三船敏郎版『馬喰一代』（五一年）のどちらかで。とにかく演出の腰がしっかりしていたというのが第一印象。同じ大映東京撮影所の当時の監督たち、例えば田中重雄とか小石栄一なんかよりはるかに腕が達者で、島耕二とタメをはるか、いや、もっとできる人じゃないかと勘を働かす。ただし妙なセンチメンタリズムがあって、『痴人の愛』ではあの谷崎ナオミがラストに至って教会に行き、涙を流して懺悔する。『馬喰一代』の荒くれ三船は東京に向かう息子の乗った列車の跡を追いかけ、線路に突っ伏してさめざめと泣く。

これでは外様の吉村公三郎とか市川崑、新進の増村保造のパワーに押されるのも当たり前。『狸御殿』だって戦前はともかく、『初春狸御殿』（五九年）なんていうのでは沢島忠のミュージカル・チャンバラのエネルギーに負けてるよな。木村恵吾のことをそう思い、判断してた。いやあ、甘かったデス。

『やっちゃ場の女』（六二年）を観たときは驚いた。この監督、こんなにいいんだと舌を巻いた。葬儀の場面。座敷にぎっしりと喪服の男女が集っている。その中を主要な登場人物が出たり入ったり。その演出の呼吸、画面転換の鮮やかさに見とれ見惚れた。大人たちの中にぽつり幼き子どもが混じっており、退屈してちょっとしたいたずらをする。近くにいたおじさんがメッとその子をにらむ。厳粛なる儀式。その中に思わずクスリのこのスケッチの小気味よさ。

築地の青果市場、その老舗の仲買店を長女が仕切る。親父は愛人作って、家を出て行き、別居中。母は死に、二人の娘はこの父に愛想を尽かしている。ただ一人、その弟だけが親父にそっと会っていて、父と息子、並んで釣り糸を垂れる。その会話も遠慮のない友だち口調。のびのびとした空気が画面に流れ、しかも小津『浮草』の匂いもぷんと匂う。長女と店の若い衆。ひそかに想い合っているこの二人が物干し台で語り合う。時は隅田川の花火大会。ひゅるひゅるバンと音が響き、並んで観ている二人の顔が光ったり、闇に沈んだり。もう次から次へとうっとりほれぼれの場面が連なって、ここから〝木村恵吾〟の名がくっきり胸に刻まれた。

『浅草の肌』（五〇年）『牝犬』（五一年）のねっとりとした好色趣味。京マチ子の女はもはや涙を流さず懺悔もせず、男たちに向かって堂々と自己主張し、その肉体の虜にする。『お傳地獄』（六〇年）は中川信夫『毒婦高橋お伝』（五八年）と双肩の佳品だ。男たちの間を渡り歩きながら、病弱の愛人だけは離さない。嫉妬に狂う男から詰られ責められながら、それでもあなたが一番なのよと肉体を絡めつかせ、ついには男を敗北させる。そこにぷんと女というもの、その体臭がかぎとれて。その粘っこさが、木村恵吾その人の体臭をも感じさせる。『瘋癲老人日記』のラスト。老人の息子の嫁に対する執着。老人は嫁の足裏に墨を塗り、習字紙に型を取る。老人は亡くなる。隠居部屋いっぱいに足型が残る。風が吹く。かさかさかさかさかさ。女の足裏がうごめき、ざわめく。老人を演じるのは山村聰。これは肉体版『山の音』じゃないか。

京マチ子＝鶴田浩二版『愛染かつら』（五四年）、その看護婦寮の場面の女たちのわあわあきゃあきゃあ。『芸者学校』（六四年）、その置屋の場面の姐さんたちのわいわいがやがや。年増からおぼこ娘まで、屈託なくしゃべり合う、この女・女、女の場面。もう木村恵吾が〝女というもの〟、それがいとおしくてかわいくてたまらないと舌なめずりをしているみたいで。まさしく女を描いて一流の監督と思わせる。

さてわが井手俊郎にも『流れる』『月夜の傘』『班女』などなど女たちのわいわい映画があって、こちらも女を描いては練達。この二人が組み合わさると、はたしていかなる映画になるのか、期待はふくらんで――。

『幸福を配達する娘』（五五年）は井手が大映に出張して書いた脚本だ。お手のものの源氏鶏太原作。ちなみに源氏の小説の映画化は七六本あって、井手はそのうち一七本を手がけている。五分の一以上だから、かなりの確率だ。小説の肌と合っているのだろう（石坂洋次郎はもっと多いのだが）。定年間近のサラリーマンがいて、しっかり者の娘がいる。娘（若尾文子）は父（菅井一郎）と母（北林谷栄）のこれからの生活費と弟の学費を助けてもらおうと、ふたりの兄とふたりの姉に援助を求め、毎月集金に廻る。それぞれの家庭の事情がユーモラスに、時にはほろ苦く描かれる。井手、お得意の世界だ。

ヒロインの明るく健気なキャラは、東宝『見事な娘』（五六年・源氏原作・井手脚本）の司葉子を思わせる。この家庭に、北海道の長姉から紹介の若い男が下宿することになる。田舎出のもっさりした、いかにも好人物といった印象。ヌーボーとした菅原謙二のパーソナリティが適役。この家族には、もう一人、戦死した息子がいて、それがどことなく菅原にそっくり。帰宅した菅原を見て、母親が一瞬はっとする。「死んだあの子が帰ってきたと思った」と夫としんみり話し合う。このあたり、いい味だ。弟（東宝の井上大助）は生意気盛り。ちょうど反抗期で言葉遣いはすこぶる乱暴。大人たちに向かっていつもイラついている。いかにも木村演出だと思わせるのが、この弟が姉に向かってプロレスの技をかけるところ。『やっちゃ場の女』でも叶順子が弟から同じ目にあっていて。こういうところ（ちょっとエッチ）が木村恵吾のご趣味を感じさせる。さてこの弟、新型のカメラがほしくて姉が集金したお金を無断で拝借。家族に向かってシラを切りとおす。が、菅原の眼はごまかせない。菅原から一発パンチをくらった途端、泣き出して謝罪。以降、素直な性格に戻る。それを見た若尾、ますます菅原に惹かれる――といったあたり、ルーティンながら、ぴたりツボがはまる。

この後、父と娘、弟と菅原がハイキ

ング。ぱっと画面が解放されて。田舎道で菅原は会社の社長に遭遇。この社長が父と意気投合して、再就職の道が開けるというのが、いかにも源氏原作らしい。菅原の方は社長令嬢に気に入られて、結婚を申し込まれる。ここも源氏鶏太だなあ。二人の仲を誤解して、若尾がしょんぼりの場は必要以上に濡れないのが井手タッチ。

菅原はアパートを見つけて引っ越すことになる。見送る母が「もっといてもらいたかった」とため息をつく。父が「母さんはいつもはっきりものを言わんからだめなんだ」と返す。その父も寂しそうだ。この「はっきりものを」のセリフには伏線があって。母が木綿豆腐を頼めば父は絹ごし豆腐を買ってくる。お隣から小鉢を借りてと頼めば丼を借りてくる。そのたびに母から文句を言われ、父は「母さんははっきりものを言わんから」とグチる。それがこの場面のこのセリフにつながって。井手脚本、巧いなあ。

さて、若尾はもっと悲しい。菅原を見送った後、若尾は中庭で洗濯物を取り込む。いつもの家事。それを黙々と取り行う。二段組みの物干し竿。その高い方の竿を取り込もうと棒を手に背伸びする。つま先立ちした両足のアップ。その靴下がツギハギだらけ。洗濯物を取り込んだ若尾が空を見上げる。青空が広がっている。ただこれだけの描写。それなのに、若尾の悲しみが伝わる。バックには「七つの子」のメロディが控えめに流れている。一刻も早く男のことを忘れ、日常に返ろうとする娘心のいじらしさ。その想いを淡々とした行動で見せた。それが深く胸を打つのだと思う。この木村恵吾の演出。やっぱりただ者ではない。

さてこの後の大団円は、これからこの映画を観る人のお楽しみに秘めておこう。とにかく井手脚本と木村演出、二人のいいところがふんだんに発揮された、嬉しい幕切れとなっていた。幸福を配達されたのは、どうやらこの映画の観客のように思えて。

この『幸福を配達する娘』の原作タイトルは「緑に匂う花」。それを再映画化したのが日活の『若い東京の屋根の下』(六三年)。才賀明の脚本で齋藤武市の監督。こちらは吉永小百合の家に浜田光夫が下宿する。小百合の幼友だち、山内賢と浜田の恋のさや当て合戦があったりして。まずは安定した日活青春映画で楽しかった。

さて、井手と木村のコラボ第二作は『屋根裏の女たち』(五六年)。

原作は壷井栄の「屋根裏の記録」。舞台はおなじみの小豆島。港町の一角にある娼家。その女主人と娘の葛藤。そして「姫」と呼ばれる娼婦たちの点描が綴られている。時代背景は大正から昭和、戦中から戦後にかけて。娘がまだ幼い頃の描写からはじまり、女学生となり、卒業して男と付き合い、私生児を産む。それからの結婚。その息子が戦争に行って、その帰りを待つ戦後の日々――までが描かれて。といっても中編程度の分量。特殊な環境に生まれ育ったひとりの女、そして彼女を取り巻く女たちの嘆き節といった風情の小説だ。

これを井手はさっと刈込み、（封切り当時の）現代からさかのぼる数年の話にしている。舞台も〝ある港町〟という感じで場所を特定していない。なにより〝女たち〟はかくも虐げられ痛めつけられたという被害者意識に終始してないのがいい。いつもの井手脚本と同様、そんな逆境を跳ね返すような女たちの強さを底に流している。

ぼろぼろの軒燈を提げたちっぽけなうどん屋があって、おカミは望月優子（まさしくドンピシャ！）。娘（川上康子・映画に出たての初々しさ）は高校生でじきに卒業。ぽんぽん母に受け答えするのがいかにも戦後の子という感じで。母はこのままでは行き詰まると、若い女を雇って酒を出すことにする。ところがストリッパー上がりのこの女、酒の相手だけじゃなくて、からだも売った。これが評判になり男たちがつめかけた。最初はいやいやだった母も、儲けになるならと次から次へと女を雇い、店も改造、次第に女将の貫禄もでてくる――となると、井手＝木村お好みの女・女・女の映画になるわけで。雇われる〝姫〟たちの顔ぶれも楽しい。最初がストリッパー上がりの倉田マユミ。いかにも蓮っ葉な印象だけど、後段、重要な役割を果たす（これは後ほど）。年増の村田知栄子はいつもがあがあ文句を言い、口答えした相手にすぐに摑みかかる。いやはや嬉しい怪演。新橋芸者上がりが自慢の上品ぶった女は市川春代。懐かしい。元黒人兵のオンリーで横浜から流れてきたのは岸田今日子。このあたりが映画デビュー作。もともと風貌が黒人っぽいし、メイクもそれ風なのでぴったしハマる。彼女の役は戦後を反映した映画のオリジナル。

この辺がベテラン・演技派勢。これに川上康子をはじめとする大映新人女優をぶつける、というのが企画のネライではないだろうか。貧乏な家から売られてくるのは藤田佳子。後に素朴な漁師の若者と結婚する。「貧乏だからここに来たのに、また貧乏な家に嫁いで元に戻りやがって。いったい何のために苦労したんだい！」と村田知栄子に嘆かせる。このエピソードだけが原作に忠実。ただし嫁いだ後、魚売りになって店を訪れた藤田佳子が生き生きとしてチャーミング。この作り手たち、やっぱり嘆き節では終わらない。もう一人は八潮悠子。インテリ風。過去のある女。原作では娘が心を許す相手。映画ではちと印象が淡い。ま、八潮という女優さんもあまり存在を主張しない人という感じだったが。

これに近所の旅館の女将が賀原夏子。最初は望月より格が上だったが、次第に押されて、最後は望月の肩をもんだり着物の着付けを手伝ったり。だんだん卑屈になるのが面白い。大年増の三味線弾きは浦辺粂子。のし上がる望月を見て、「成り上がりはイヤだね」と毒づく。ぴりりの辛味。

というわけで、もうもう女優たちのオン・パレード。それぞれの個性がふんだんに発揮され、こちらは観てる間中、口もとがほころびっぱなしだった。

さて娘を誘惑し、たぶらかす、流れ者の運転手は船越英二。これもぴったりの役柄。この男のいい加減な性格を見抜いたのが前述の倉田マユミ。夜の浜辺に船越を呼び出し、たっぷりとお灸をすえる。船越は町から逃げ出す。娘は救われる。これが小説だと、娘は泣きの涙で耐えまくる。まったく正反対の印象。こういうところに、井手の原作への批評がうかがえる。

にしても、船越に向かって「おい、弱い者いじめするなよ」「私たちみたいな女だけじゃないんだ。世の中にはいじらしくて、かわいそうで、見ていられない子もいるんだからね」「命が惜しかったら帰るなよ。女だと思って甘く見るな！」と小気味いい啖呵を切る倉田マユミのカッコいいこと。彼女の一番の代表作ではないだろうか。こういう傍系女優を活かすところに、この監督の良さがあって。そういえば彼の作品では倉田は常にいいポジシヨンにいるなあ。

（閑話休題。彼女が『ノンちゃん雲に乗る』などの倉田文人監督の娘だとは知ってたけど、大泉滉と結婚していたとはねえ。その後、アメリカ人の外交官と再婚。渡米して現在に至るなんて。ご健勝をお祈りします）

特筆したいのは木村恵吾のセットの使い方の上手さだ。望月の店を四つ辻の奥、中央下手寄りに建て込んで、その脇に横線と縦線の道路を十字に走らせている。これによって登場人物の、店から出たり入ったりの動きが立体的に見えるし、傍系の人物が通りで立ち話の様子もよく分かる。全体のセットの位置（とキャメラの向き）は一定しているから、店を改築したり、大きくなっていく様子も一目で見てとれる。（美術は木村とよく組んでいた柴田篤二）。この監督には舞台の素養があるんだと思った。だから限られた空間を出入りする人物の動かし方が巧みなのだと。店の前から中、中から外へと目まぐるしく変わる、その画面転換。これがぴたりぴたりと決まる心地よさ。まったく見事だ。この映画、隠れた逸品だと思う。

井手＝木村コンビ作の三作目は『その夜のひめごと』（五七年）。原作は山岡荘八「花ある銀座」。この頃の木村は大映を離れて、東宝配給の『世にも面白い男の一生　桂春団治』『おしどりの間』（ともに五六年）『野良猫』、松竹配給の『浮世風呂』（ともに五八年）『吹雪と共に消えゆきぬ』（五九年）を撮っている。その辺の事情はよく分からぬが、井手と組んだこの作品が一番であることは間違いない。

舞台は日本橋にある老舗の海産物問屋。早朝の奥座敷。のっけに徹夜マージャンからはじまるのが意表を突かれる。主人（中村伸郎）は根っからの遊び人。けっこう口うるさくて、妻（木暮実千代）が握ったおむすびを「ゴマ塩じゃだめです。にぎり飯は塩です」と小言。「たまにウチにいりゃ徹夜マージャン。あんな人ってあるもんですか」と妻は女中たちにこぼす。この駄々っ子主人が頭が上がらないのが、昔で言えば番頭頭、今は総支配人と呼ばれる三橋達也。先代の番頭の忘れ形見で、父の死とともに幼い頃引き取られ、木暮から実の息子同然に育てられた。今やばりばりのビジネスマンで、店を仕切っているのはもちろん、主人が気まぐれにはじめた赤字だらけの洋品店の面倒を見たり、不動産、サルベージ会社なども経営し、稼ぎまくっている。ビジネスライクに割り切った性格だが、木暮への恩は忘れないという昔気質のところもある。三橋達也、どんぴしゃの適役好演！

さてある夏の夜。主人は妻に向かって珍しくしんみりと語りかける。「考えたら、私は遊び以外は一人前じゃなかった」「ダンサーを囲ったこともあってね。あれはいい女だった」。聞いている妻はスイカを切りながら、「それはよござんした」「あらあらいい色」「ちょうど熟れごろ」と適当に合いの手を入れるのが笑える。スイカを使ってのこの芝居、溝口の『残菊物語』を思い出す。中村と木暮の会話の呼吸もよく、井手のセリフが小気味いい。画面がだんだん暗くなり、最後に、がらがらずしん！落雷の音が響き、「いけません！」と中村が悲鳴を挙げて、この場が幕という趣向には、いやもう爆笑。木村惠吾、うめえなと膝をたたいた。

さて中村が囲ったダンサー（草笛光子）を今は三橋が面倒を見ている。赤ん坊までいる。木暮は三橋を問い詰める。「どうしてあの人の女に手を出したの」「バレましたか。僕、お義父さんの女を取っちゃったんです」「取ったんじゃなくて、取り上げたんでしょ」と木暮は微笑む。ここで過去の場面になって。キャバレーで中村と踊る草笛を発見した三橋は、彼女のアパートに押し掛ける。部屋を見て、中村が本気だと察する。このままだと木暮を悲しませることになる。三橋は別れ話をもちかける。その代わり、生活費は毎月出すという条件で。しかしその時、彼女のお腹には中村の子どもが。草笛は病院に行って始末しようとするが、どうしてもできない。三橋は子どもともども彼女の面倒を見ることになる。三橋は保護者的な気持ちだが、草笛は三橋をいつしか恋するようになる。

といった経緯が描かれるのだが、ここをどういうわけだか木村演出はナレーターを使って解説。それもアナウンサーみたいな口調なので、ここだけラジオ・ドラマみたいな違和感がある。どうしてこんなことになったのか不明だが、尺が長くなるので（といっても、この映画、八二分しかない）省略したのかしら。

さて、中村＝木暮にはひとり娘の司葉子がいて、これが三橋と顔を合わせるといつも喧嘩。ただそれは愛情の裏返しで、彼女も三橋も本音は好きあっている。ある夜、三橋が帰宅すると家の中は真っ暗。ぼそぼそと男の声だけが居間から響いている。三橋が部屋に入ると、司と女中たちがテレビを見ていて、画面では講釈師が「四谷怪談」を語っている――というのがまた笑える。女中たちは「もう、見てられねえ」と奥に引っ込む。残った三橋と司は肩を並べて画面を凝視する。ほの暗い部屋。画面の灯りが二人の顔を照らして。いよいよ講談はクライマックス。うらめしや〜伊右衛門さまあ〜！と凄んだ途端、三橋と司が思わずお互いのからだに縋りつく——というのがニヤニヤのおかしさ。ここの呼吸も巧いなあ。

監督のご趣味としては、もう一人、密かに三橋を慕っている娘がいて、それはこの家の女中。かいがいしく三橋の面倒を見たり、夜店で三橋に浴衣を買ってもらって胸を躍らせたりといじらしい。その彼女が、この夜、三橋と司がテレビを見ながら寄り添う姿を見てガックリとなる。切ない。演じるのは森啓子（後に森今日子）。こういう地味な女優さんを起用して、けっこう印象的な役につけるところが木村恵吾らしくて。

この後、司は草笛のことを知って、彼女のアパートに押し掛ける。三橋と別れてほしいと言いに来たのだが、子どもの顔を見て気が変わる。この子のために三橋と結婚してほしいと頼む。

同じ日の夜、今度は三橋が草笛に求婚する。草笛は酔っている。司の一途な想いに心を動かされたのだ。三橋と結婚させたいと思う。自分の気持ちを隠して、三橋に愛想尽かしをする。別れる代わりに、子どもを引き取ってほしいと。三橋は承諾する。草笛の本心を察して「あなたも古い人間だ」とつぶやき、去って行く。ひとり、アパートの廊下に残された草笛は泣く。そしていきなり外階段に向かう。

パンパンパン、花火の音が響く。この夜は隅田川の花火大会だ。物干し台にアパートに住む女たちがたむろして歓声を上げる。その傍らの階段を草笛が駆けのぼる。二階から三階、三階から四階へと。光と闇の合間に草笛の姿が見え隠れする。そして最上階にたどり着いた草笛が男の名前を絶叫する。その声はけたたましい仕掛け花火の音にかき消される。この外階段の場面をクレーンを使って、ワン・ショットで見せ切った木村恵吾の演出。しかもセット撮影だ。背筋がぞくぞくした。映画の快感ってこれだと思った。いやあ、井手俊郎が木村恵吾と出会って本当によかったなあと——。

この三本を観た後は、幸せな気分になった。普段の井手脚本映画より、木村演出は女たちの色が濃くなっているという気がした。しかも映画の醍醐味がそこかしこに感じられた。未見の井手作品を発掘するたびに喜びがある。それと同じように木村恵吾の作品を新しく見る嬉しさがある。『再会』（五三年）『女のつり橋』（六一年）『ある関係』（六二年）と次から次へとこちらの琴線を響かせてくれた。井手作品同様、未見の作品はまだまだある。とりあえず往年の時代劇ファンが大喜びしたという『大江戸七変化』（四八年）とか、あのハードボイルドの鬼才、長谷部安春監督が「うめえなあ〜」と感嘆の歌謡メロドラマ『江梨子』（六二年）が観たいなあ！

（きたざと・ういちろう）

映画論叢のバックナンバー

●品切れ　1号／2号／4号／8号／11号
●在庫僅少　7号／14号／16号

【19号】橘公子インタビュー／大庭秀雄の回想　石堂淑朗／大連の映画館
【20号】原知佐子の新東宝時代／ダビング繁盛時代　河辺公一
【21号】三輪彰監督インタビュー／東宝争議と松林宗恵／極東キネマ
【22号】ボンドガール若林映子／アイドル山本豊三／T・ザイラー追悼
【23号】新東宝スタア星輝美／オリーヴ・トーマスの死
【24号】小杉勇・渡辺邦男・中川信夫／久保明インタビュー／万博の映像
【25号】柳川慶子インタビュー／井田探インタビュー／鶴田VS若山
【26号】東宝傍役俳優インタビュー／松竹時代の寺島達夫／争議とヤクザ
【27号】緑魔子&小谷承靖監督&柴田吉太郎監督インタビュー
【28号】高宮敬二自叙伝／横浜モダン・北林透馬／日本ロボット映画
【29号】B・クリステンスン研究／中田康子インタビュー／談志追悼
【30号】小森白インタビュー／B・ラ・マール伝／仏家庭映画小史
【31号】伊沢一郎・日活の青春／翻訳映画人・東健而／『殺人美学』再評価
【32号】70ミリ映画女優・上月左知子／土屋嘉男インタビュー／改題縮尺版
【33号】小笠原弘インタビュー／松竹キネマ撮影所／東宝レコード
【34号】阿部寿美子自伝／ラッセル・ラウズ監督再評価／福宝堂完全リスト
【35号】鬼才W・グローマン／アルモドバル本の誤訳／佐々木勝彦語る
【36号】ルーペ・ベレス／東映東京の"血と骨"／動物モノの巨匠A・ルービン
【37号】マイ・ゼッタリング／A・ド・トス／ブルーバード映画とロイス・ウェバー
【38号】西村潔"お蔵入り"の真相／J・ガーフィールド／『警視庁物語』
【39号】レムリ一族の興亡／原一民のみた黒澤明／ウェンデル・コリー
【40号】映画監督・三船敏郎／ディック・パウエル／和製ターザン樺山龍之介
【41号】河合映画・由利健次／『ファンタジア』／アードマン・アニメ
【42号】『どろろ』映画化／近藤経一／W・ベンディックス／全勝映画大調査
【43号】中川信夫の教育映画／東宝ビデオレンタル黎明期／A・ケネディ
【44号】小倉一郎、村井博のみた加藤泰／東独映画／フォード一家名簿
【45号】大船スタア園井啓介／ジョン・ギャヴィン／新東宝・大貫正義
【46号】『自動車泥棒』・和田嘉訓／帰山教正周辺／ビスタ・サイズの誤解
【47号】大映・小野川公三郎／ヘンリー・コスター／j・ウェインと仲間
【48号】ジョン・ファロー／『ジョアンナ』研究／森下雨村の映画／堺勝朗
【49号】田口勝彦監督が語る東映東京／ロリー・カルホーン／スコープ・サイズの真実／海野十三のスパイ映画／"喜劇"タイトル何本?

【50号】『二十歳の恋』のヒロイン田村奈巳　小関太一／『2001年宇宙の旅』を見続けて半世紀　内山一樹／解明されぬ死の謎　ジェフ・チャンドラー　千葉豹一郎／飯塚増一、降旗康男の肖像　五野上力／ナタリー・カルマスの時代　畑暉男／トンボと名乗るコメディアン　飯田一雄／バンツマも大河内も誤記の被害者　最上敏信

【51号】追悼・三上真一郎（秘蔵写真、徹底フィルモグラフィ他）／『サロメ』になった女優たち　中田耕治／ビデオ画面とワイドスクリーン　内山一樹／黒田岸田森『全記録』補遺　武井崇／黒田記代と『情熱の詩人啄木』　丸岡澄夫／コメディアン・パン猪狩　飯田一雄／増淵健チャンバラ談義発掘　永田哲朗／現役監督ピンク修業帖　東舎利樹

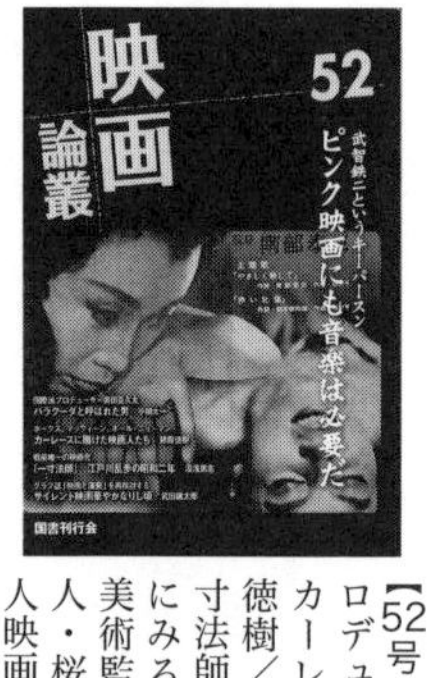

【52号】バラクーダと呼ばれた男・プロデューサー奥田喜久丸　小関太一／カーレースに賭けた映画人たち　猪股徳樹／乱歩作品戦前唯一の映画化『一寸法師』　湯浅篤志／『映画と演藝』誌にみるサイレント時代　武田鐵太郎／美術監督・千葉一彦インタビュー／藝人・桜川狐狸介　飯田一雄／独立系成人映画の作曲家たち　東舎利樹

●映画論叢バックナンバーのうち、№3～№18まで（各号840円。送料樹花舎負担）のご注文は樹花舎へ。メールあるいはファクスでご注文ください。ファクス：03-6315-7084　メール：kinohana@mb.infoweb.ne.jp
№19以降は国書刊行会へ。一部1000円+税。

書簡にみる三上真一郎

渡部直人《わたなべなおと》氏宛書簡

写真提供＝三上沙代美

『秋刀魚の味』予告篇の前の「特報」撮影時のスナップ

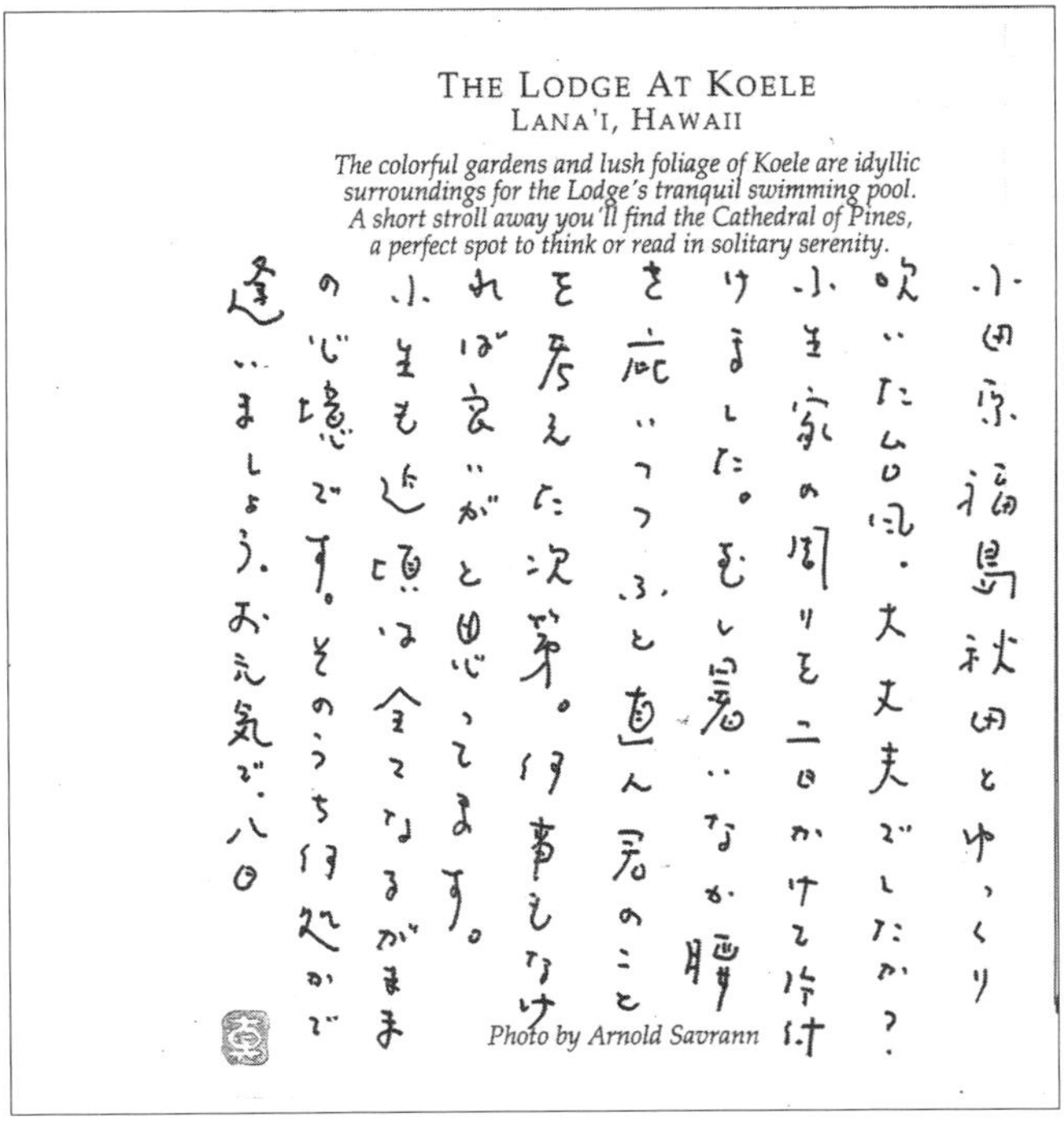

THE LODGE AT KOELE
LANA'I, HAWAII
The colorful gardens and lush foliage of Koele are idyllic surroundings for the Lodge's tranquil swimming pool. A short stroll away you'll find the Cathedral of Pines, a perfect spot to think or read in solitary serenity.

小田原 福島 秋田とゆっくり
吹いた台風。大丈夫でしたか？
小生家の周りを二日かけて片付
けました。むし暑いなか腰
を痛いつつふと直人君のこと
を考えた次第。何事もなけ
れば良いがと思ってます。
小生も近頃は全てなるがまま
の心境です。そのうち何処かで
逢いましょう。お元気で。八日

Photo by Arnold Savrann

三上真一郎筆跡。2007 年 9 月 11 日消印の渡部氏宛ハガキ

書簡Ⅰ

御元気の様子何よりです。折角お招き頂いた小津ネットの新年会、昨秋より続く腰痛、ことしの寒さでちょいと動きにくく已むなく欠席申し訳なし。さてさて、御手紙感謝、大変面白く拝読しました。と、云うのはネットのメンバーで盛岡邦彦氏が二月十一日腰痛見舞の電話で山田洋次が馬鹿な話をしそれに対し又々面白くもない話があったと云ってましたが、直人氏の御手紙で馬鹿な話と面白くもない話とはどういうことか判明。成る程と頷いた次第です。貴方の御手紙を読んでいて実に素晴らしい指摘だなと感服したのが〝プロ市民〟の様なという点です。上手いこと仰るなァーと唸りました。

山田洋次、記憶では二度蓼科へ来ましたが、政治的なコメントはなかった様に思います。それが「〝あの無謀な戦争から学んでいない〟云々、これに呼応して客席から反戦、九条堅持の〝プロ市民〟の発言質問が出た。」これを読んで小生魂消て考えたのは、山田洋次は代々木から逃げられない、苦しんでいるなと云うことでした。プロ市民の面々代々木の指令のもと、山田洋次を監視に来たなと思いゾーとしました。

かつて松竹の課長が云ってました。「洋ちゃんも大変ですよ。代々木からしょっちゅう電話がかかり、逃げてますよ」を思い出した。

学生時代から共産主義にイカレ信じ込み、夢中になった山田洋次故のことですなと云うしかない。

そんな監督にひたすら縋りながら小津安二郎を産んだことを金科玉条の如く大事にし誇る松竹。世の中なんてそんなもんだと思えばいいのでは？　なんて考えてますよ。

それから、映画論叢は発行？　発売？　だったか扱いが変り季刊誌となって引き続き出ますのでよろしく。故に次号は日本プロレスリングの雄、力道山の思い出を書きました。ご一読頂けたら幸甚です。

それから直人氏直筆のお手紙何時の日か使わせて頂きたく大事に保存させて頂きますが、よろしいでしょうか？

伊豆高原、唯今桜満開。夜桜見物に結構人あり。こちらに来ることあったらご一報を。お茶など差し上げたく思います。以上、お元気で。

二〇〇八年四月三日

三上　真

『バラ少女』。瞳麗子と

主演作『銀座のお兄ちゃん挑戦す』。芳村真理、小坂一也、小瀬朗と

書簡II

お手紙感謝。そして貴重な切手も又々感謝です。

小生ペンによって字が大きくなったり小さくなったりですのでお許しを。

直人氏のお手紙拝読しながら、何故小生は保守的な思考になったのか考えました。どうもこれは小さな頃に因ありかなと思うのですが、これもよく判りません。確かに大船撮影所に入った頃は社会党に魅力を感じたこともありますが、これはやはり小・中・高校時代の教師による処がおおきいようです。振り返れば小生は良い教師に出会ったものとつくづく感謝しています。

そんな小生が大船で小津安二郎先生とほゞ時を同じくして仕事をしたのが大島渚をはじめとする若きヌーヴェルヴァーグでした。

彼らの反社会的な作品にもう一つ馴染めなかったことを思い出します。と同時にあの頃何故か惹かれたのが百鬼園随筆。今も時折ペラペラ捲っています。


まあ、小生も余りご大層なことを云える身ではありませんが、初めに思想ありきは嫌いです。司馬遼太郎の随筆に「本来人間は思想を持っていなかった。思想は人間が創ったもので、本来は虚であり思想に酩酊してつまり酩酊出来る者には実になる」とありますが、小生まさしくその通りだと考えています。虚は虚故に恐い。つまりあゝ云えばこう云うの論法に終始しますので常に正義は我にありの立場をとります、と云うのが小生の見方。人間間違いは認めた方が楽になれると思うんですが。

直人氏とこんなことを遣り取りが出来るとは考えてもみなかったので昨今甚だ嬉しく感謝してます。

最後になりましたが保守の契りとして杯代りに頂いた切手のお返しつまり返杯としてシャープペンシルを贈ります。これは七年前でしたか、ロンドンの古物商で買った百年前（と主人曰く）の物だそうです。ご笑納いただけたら幸甚。それではこれにて、お元気で。

二〇〇八年六月八日

三上

渡部直人様

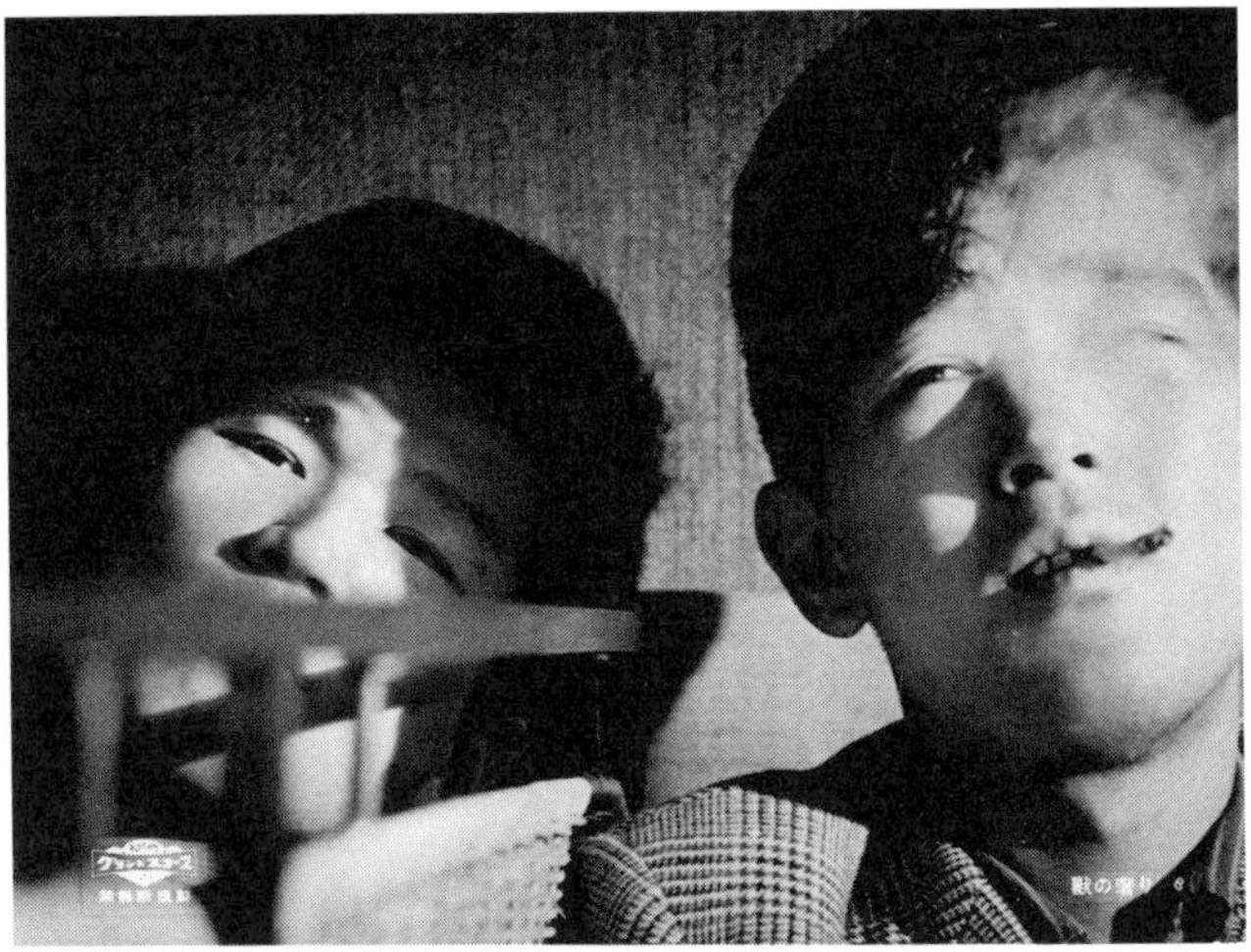

『獣の奢り』（公開題『非情の男』）。小坂一也と

『血は乾いてる』。岩崎加根子と

『三羽烏三代記』

三上真一郎所蔵のスチールでは本作のものが圧倒的に多い。宣材、記念写真も残されており、さすが「松竹映画３０００本記念」大作と思わせる。

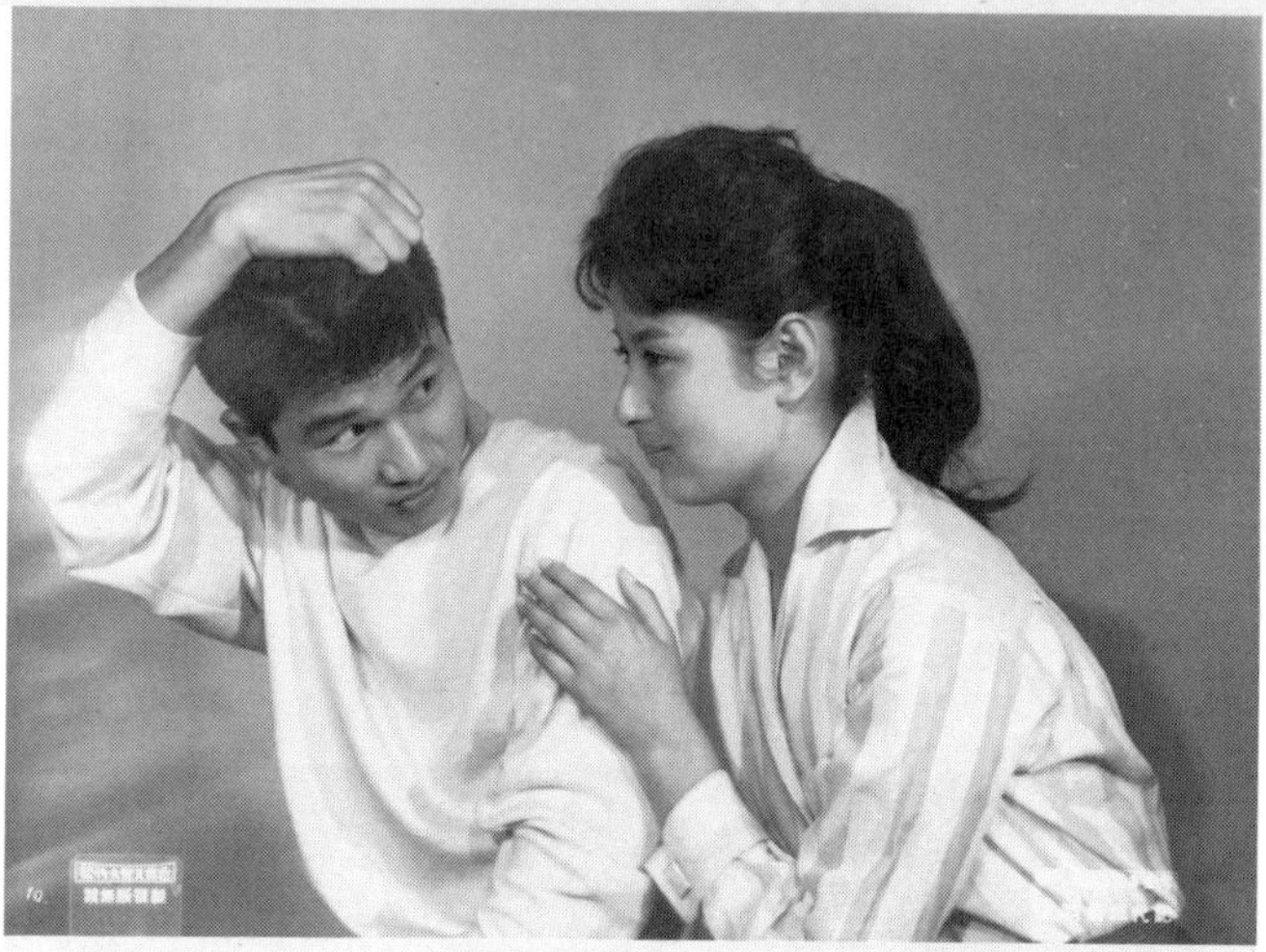

（上）特別前売鑑賞券
（中）牧紀子と
（下）左から三上、牧、山本豊三、桑野みゆき、九条映子、小坂

『三人姉妹』

なぜかスチール以上に撮影スナップが多く残されていた作品。十朱幸代、九条映子、生駒千里監督が写っている。

ジカル舞台の映画化がいかに難しいか再確認した。

ダーティ工藤　1954 年生まれ。監督・緊縛師・映画研究家。VHS を知らない若者も多いが私のビデオデッキはまだまだ現役。大昔録画したデヴィッド・ラッド主演『哀しみの愛馬』(59) を観て眼がウルウル（笑）。

武田鐵太郎　1932 年生まれ。仙台在住。99 年に新書版の小冊子「シネマ・アンソロジー」を私刊。

中田耕治　1927 年生まれ。作家・翻訳家・演出家。近年の作品に「ルイ・ジュヴェとその時代」「五木寛之論　時の過ぎゆくままに」、翻訳ではオノト・ワタンナ「お梅さん」などがある。公式ＨＰ「中田耕治ドットコム (http://www.varia-vie.com/)

永田哲朗　1931 年生まれ。チャンバリスト。「殺陣」は時代劇愛好家必携の一冊。他に「日本映画人改名・別称事典」「日本劇映画総目録」(監修)「右翼・民族派組織総覧」(国書刊行会) など。

布村建　ついに八三超。来し方を思い起こせば，後悔四分に納得六分。稼業柄多様な体験をしてきたが，剣難四度、女難ゼロ。来世は此の比を逆転させたい、とカ〜ミに願いをララかけましょか。雑念・妄想・瞑想こもごもの日々。

長谷川康志　1978 年横浜生まれ。双子座・AB 型。酒豆忌（中川信夫監督を偲ぶ集い）実行委員。座右の銘「人間 いちばん あかん」(中川信夫)

最上敏信　1948 年東京生まれ。ロウソクの灯のようにカツベンが再燃している。一本、二本と本数を数え、リストを作成したが、壱萬本以上は？ご苦労！戰前日活から尾上松之助、牧野省三、は明治と大正時代。嗚呼、とうとう來てしまった！

渡部直人　1965 年生まれ。往年の日本映画が好きで、地方在住乍ら都内の催し、講演会や大学の講座などに参加し、関係者に手紙をしたためたり、資料を送ったりして知己を得る (三上真一郎さんも紹介される)。アメリカン・ニューシネマや円谷特撮をこよなく愛する道楽者。

執筆者紹介（五十音順）

磯貝友康　1933年生まれ。横浜市出身。本職はメリヤス製造業。神奈川県唯一人の「一級横編メリヤス技能士」。丸岡澄夫氏の後を受け「シネマトーク」二代目代表に。趣味は映画の他に「シャドーアート」作品づくり。

猪股徳樹　1942年生まれ。名作のビデオを再見して、何か発見があると、映画仲間にメールで報告する習慣がある。昔は電車で報告に行った。「砦の門衛がジャック・ペニックだぞ！」。その事に価値があったから。懐かしい事です。

宇佐美晃　1957年生まれ。80年代だったか…紀伊國屋ホールで上演されたコクトオ『双頭の鷲』は翻訳・演出が内田勝正だった。『水戸黄門』最多悪役出演者として追悼されてる人だけど。映画の代表作は小谷承靖監督『はつ恋』か。浪漫劇場の仲間・中山仁も亡くなった。やっぱり彼は『囁きのジョー』だね。

内山一樹　1954年生まれ。3年がかりKADOKAWAのStudio Canal作品約190作BD&DVD化の仕事が昨年夏で終了。年明けて1月25日、在籍していたパイオニアLDCの“同窓会”に約150人が集まりました。

浦崎浩實　1944年生まれ。松竹「活弁物語」他の福田晴一監督のご遺族の連絡先を監督協会で教えてもらったものの、連絡つかず（電話は生きてるようだが！）。松竹に尋ねても、知りません、と素っ気なく、松竹後、成人映画ほかに関わっておられるから、その方面に強い方、消息をご存じありませんか？

奥薗守　1932年生まれ。教育及び産業関係の映画、ビデオ等のプロデュース、監督、シナリオを手掛ける。自称、水木洋子の弟子。市川にある水木邸は毎月第2・4の土・日曜に公開しています。

片山陽一　1974年生まれ。昨年12月16日、演博「新派の〈芸〉を語る」に行く。助教による館蔵資料の発表は蛇足だったが、児玉教授の聞き手で八重子×久里子の軽快なトークを愉しんだ。

北里宇一郎　1951年生まれ。八千草薫の映画代表作は『夏目漱石の三四郎』（1955）では？　可憐な令嬢と思わせ、実はきりりと芯のある美禰子像。強い眼差しが印象的。これ、漱石映画のベストだと。監督は中川信夫！

五野上力　1935年生まれ。俳優。劇団手織座、松竹演技研究生を経て61年東映東京入社。64年専属契約。初期は本名の斎藤力で出演。多くのアクション映画＆テレビドラマに助演した。

重政隆文　1952年大阪生まれ。大阪在住。『キャッツ』を見て、ミュー

◆編輯後記にかえて

新聞における「映画人の死亡記事」のヒドさについては疾うに諦めた。東宝青春スタア青山京子はアキラの奥さんに過ぎず、原知佐子は〝怪獣モノ〟の実相寺昭雄監督の夫人で「百恵ちゃんドラマの敵役」の二点で語られるのだ。さすがに映画雑誌ではちゃんと追悼してくれるだろうが。

でもアンナ・カリーナとなると、映画誌もダメ。彼女が美人女優として本領を発揮したのは『今夜でなければダメ』『シュヘラザード』『悪魔のような恋人』『異邦人』（出来栄えのことは言ってないヨ。可愛く映ってるかのハナシ）あたりだろう。一本選べば『瞳のなかの太陽』（J・ブールドン監督　62年）かしら…ここらへんの作品、追悼文の書き手たちは誰もが無視。元旦那ゴダールの話ばかり。この男権的？姿勢に、女権論者サンたちは怒らないの？

丹野達弥

映画論叢《えいがろんそう》 ㊿③

2020年3月15日初版第1刷発行
定価［本体1000円＋税］

編輯　丹野達弥《たんのたつや》
発行　㈱国書刊行会
〒174-0056 東京都板橋区志村1-13-15
Tel.03(5970)7421　Fax.03(5970)7427
http://www.kokusho.co.jp
装幀　国書刊行会デザイン室＋小笠原史子（株式会社シーフォース）
印刷・製本　㈱エーヴィスシステムズ

ISBN 978-4-336-06659-6 C0374